THE OLD

IN THE
THE BLACK COUNTRY

PART II

THE BOOKS OF JOSHUA, JUDGES, RUTH,
JOB, JONAH, THE FIRST AND SECOND
BOOKS OF SAMUEL

by

KATE FLETCHER

Published by The Black Country Society, P.O. Box 71,
Kingswinford, West Midlands DY6 9YN

First Impression July 1979
Second Impression February 1996
Third Impression February 2001

ISBN 0 904015 17 3

Being of Black Country origin, I have a deep interest in the Black Country as a whole, and particularly in its dialect which I hope this book may help to preserve. I have tried to cover the main stories which the Bible teaches, but the story of the Old Testament does not claim to be an exact translation.

The names of Biblical characters and place names retain their authentic spelling.

Kate Fletcher

Edited and Produced by HAROLD PARSONS
(Editor, The Blackcountryman 1967–1988)

Cover design: C. L. BAKER (Clebak)

Printed by: Reliance Printing Works, Halesowen, West Midlands

JOSHUA

(Chapters 1—8)

THE Lord spoke ter Joshua un sed, "me sairvunt Mosiz iz jed. Gerr up un tek the childrun uv Israel oover Jord'n ter the land ahm ageein' um. Be strung un brairve un abbay wot's rit in the buk o' law un yow'l dew well un prospa. Dow be frit cuz ah shull be wi' yer t' 'elp yer weerevva yow goo."

Joshua spoke ter th' offissuz o' the childrun uv Israel un sed, "goo un tell evvryboddy ter gerr umselves reddy cuz it wo be lung afower we shull be crossin' Jord'n."

Joshua sent tew men uz spiyz t' 'ave a luk ut Canaan fust.

The spiyz crossed oover the rivva tew a sitty called Jericho un went tew 'owse billungin' a wummun nairmed Rahab.

Sumboddy sid theez tew blokes prahlin' abaht un went un tode the King o' Jericho thut thay'd sid tew spiyz gurrer Rahab's 'owse.

The king sent a messij ter Rahab un asked 'er ter bring theez blokes aht.

The rewf o' Rahab's 'owse wuz flat un 'er tuk the tew men onter the rewf un 'id um unda sum straw worr ud bin put theer ter dry, soo wen the king's messinjuz went sairchin' forr um thay cudn't find um.

Wen the messinjuz ud gon, Rahab went ter the rewf un tode the spiyz uz 'er knowed the Lord wuz geein' the land ter the childrun uv Israel cuz the peeple o' Canaan ud 'eerd 'ow 'E med the Red Say dry forr um ter walk on un 'elped um fite ennamiz.

Rahab sed the peeple o' Canaan ud alliz bin frit o' the childrun uv Israel.

'Er asked the tew blokes ter rimmimba tharr 'er'd bin kind tew um un asked um ter spare 'er un 'er famlee frum bein' put ter jeth wen the childrun uv Israel cum ter tek Jericho.

The blokes asked 'er ter tell noboddy abahrr um bein' theer un thay'd dew worr 'er waantid.

Thay tode 'er ter fassun sum scarlit thred in the winder

uv 'er 'owse soo tharr it cud be sid frum th' ahtside un wen thay cum back noboddy 'ud tuch 'er 'owse.

Jericho 'ud gorr a wall rahnd it un Rahab's 'owse stud cloose ter this wall, un one o' the winders wuz 'igher thun the wall.

'Er let the tew blokes aht frum this winder be a rowpe ahtside the wall soo thay cud run away frum the sitty, cuz the gairts o' the sitty ud bin kep' shut be the king's sairvunts ter kayp um frum gerrin' aht.

Rahab tode um ter goo un 'ide fer three days in a mahntin wot wor fare away till the king's sairvunts ud stopped lukkin forr 'um.

Wen the king's sairvunts ud sairched evvryweer thay cud think on thay gid up lukkin' forrum uz a bad job.

The spiyz went back ter Joshua un tode 'im evvrythin' worr ud 'appund.

Joshua un all the peeple gorr up airly the nex' mornin' un went ter the bonks o' the rivva Jordan un stopped theer fer three days.

Then Joshua sed, "get yerselves reddy cuz termorrer the Lord's gunna dew wunduz fer we. The praysts ull carry th' ark oover Jord'n afower yer un uz sewn uz thay put thayer fayt in the rivva the wairter ull stop flowin' un we shull be airble ter walk threw Jord'n on dry grahnd."

Wot Joshua sed cum trew. The praysts carrid th' ark terwards the rivva un the peeple follered um.

Wen the praysts got ter the rivva un' put thayer tooz in the wairter, the wairter partid un thay walked oover dry grahnd ter the middle o' the rivva.

Thay stud theer wi' th' ark un wairtid wile all the childrun uv Israel went ter th' uther side inter Canaan.

The blokes o' the tew un 'arf tribes wot wuz evenchally gunna mek thayer wums at Gilead went oover un all t' 'elp thayer rillairshuns fite.

Afta the peeple ud gon oover, the praysts follerd um.

Uz sewn uz thay wuz all sairf oover th' uther side, the wairter flowed agen, mekkin the rivva like it woz afower.

The childrun uv Israel med thayer camp urr a plairse called Gilgal.

Thay fun corn theer, soo thay wuz airble ter mek summut aht on it t' ate.

Nairw thay'd got plenty t' ate the Lord stopped sendin' manna forr um.

Joshua went aht the camp un got cloose ter the wall o' the sitty o' Jericho.

'E lukked up un sid a mon astondin' theer wi' a sord in 'iz 'ond.

Joshua sed ter this mon, " bin yow on aah side or bin we ennamiz?"

The mon ansud, " ahm 'ere uz Captin o' the Lord's armee."

Joshua bahd dahn un wairshipt 'im cuz this mon wuz the Lord.

'E wuz the sairm bloke thut went t' Abraham's tent un sed 'e wuz gunna distriy Sodom, un the one uz ressuld wi' Jacob wen 'e'ed lef' Laban's wum on 'iz way ter Canaan.

The peeple o' Jericho 'ud shut the sitty gairts soo thut noboddy cud gerr in orr aht, cuz thay wuz frit o' the childrun uv Israel.

God tode Joshua 'ow 'e wuz ter tek Jericho.

All the sowjuz ud gorra march rahnd the sitty wunse a day fer six days, un sum o' the praysts ud gorra carry th' ark rahnd wi' um.

Sevun mower praysts ud gorra march afower th' ark un blow trumpits med frum ramz 'ornz.

On the sevunth day thay'd gorra march rahnd the sitty sevun times un wen thay 'eerd a lung blast on the trumpits thay'd all gorra start shahtin' un bawlin' fer all thay wuz wuth, un then the walls ud drap dahn un thay cud goo un tek the sitty.

Joshua tode um tharr onny Rahab un 'er famlee ud gorra be sairved ulliyve.

Enny gode, silva, bross or iyun wot wuz fun in the sitty billunged the Lord un ud gorra be purr in the treshurry weer all the things wot billunged 'im wuz kep'.

Joshua sed if enny on um pinched ennythin' fer umselves the Lord ud punish 'um.

The peeple did uz God cummarndid un wen thay all startid bawlin' thayer yeds off the walls o' Jericho drapped dahn layvin' piles uv ode rubble.

The tew spiyz went un got Rahab un 'er famlee aht thayer 'owse un then bairnt the sitty.

Joshua sent sum mower spiyz tew anutha sitty called Ai. Wen thay cum back thay sed theer wor menny fowks livvin' theer un it wudn't tek menny sowjuz ter polish the lorr on um off.

Joshua sent thray thahsand men, but wen the blokes uv Ai cum aht aggin um the Israelites wuz frit un the blokes uv Ai killed thairty-six Israelites. This med Joshua evva ser mizrubbul. 'E ripped 'iz clooz up un 'im un th' elduz uv Israel bahd dahn purrin thayer fairsis on the grahnd prayin' until nite time.

Joshua yelled ter the Lord, " all the peeple o' Canaan ull get t' 'ear 'ow the childrun uv Israel uv run away frum thayer ennimiz un thay'll cum un kill we un theer wo' be enny on we lef'."

The Lord tode Joshua ter gerr up un tode 'im thut theer wuz sin amung th' Israelites. One on um 'ud tuk sum gode un silva frum Jericho un 'id it insted o' purrin it in the Lord's treshurry un this mon ud gorra be punished.

'E tode Joshua ter gerr all the peeple tergether un 'e'ed piynt this bloke aht un then the bloke ud gorra be distriyed be fiyer.

The nex' mornin' Joshua bort evvryboddy aht un the Lord showed 'im the mon. The mon's nairme wuz Achan.

Joshua asked 'im worr 'e'ed dun un Achan sed 'e'ed sid a bewriful garmint, sum shews, sum munee un a payse o' gode worr 'e waantid fer 'izself, soo 'e tuk um un 'id um in the grahnd in 'iz tent.

Joshua sent sum messinjuz ter goo un rairk theez things aht worr Achan ud pinched.

Then Joshua un all the peeple tuk Achan, all 'iz famlee un iz cattle un tuk um tew a vallee called Achor.

Theer thay stooned um all un then set fiyer tew um. Thay purr a piyle o' stoones oover Achan's jed boddy ter show weer it woz.

The Lord wor angree ennymower un tode Joshua ter tek all the sowjuz un goo un 'ave annutha goo ut the King uv Ai un 'iz peeple.

God sed tharr if the childrun uv Israel cud find enny gode or silva, or sid ennythin' else thay fansid thay cud kayp it fer umselves this time.

Joshua un all 'iz sowjuz gorr umselves reddy ter goo un

'ave unutha pop ut the blokes uv Ai, but thay day all goo tergether.

'E sent thairty thahsand uv 'iz sowjuz aht dooerin' the nite un tode um ter goo un 'ide umselves be'ind the sitty un ter mek shewer noboddy cud see um. The rest on um went wi' Joshua in frunt o' the sitty.

Wen the King uv Ai sid Joshua un the sowjuz wot wuz wi' 'im 'e sed tew iz blokes, "cum on, let's gerr arr um, we con sewn shift this lot aht the rode."

The King uv Ai un 'iz blokes run terwards Joshua un 'iz blokes un then them worr ud bin 'iydin set fiyer ter the sitty.

Wen the blokes uv Ai tairned rahnd un sid all theez flairms un smoke thay day know wich way ter run cuz theer wor no way uv isscairpin'.

Joshua purr all theez blokes uv Ai ter jeth uz the Lord ud cammarndid.

The childrun uv Israel tuk all the gode un silva wot thay fun un all the cattle ter kayp fer umselves.

Ai nairw billunged the childrun uv Israel un Joshua bilt altar wi' grairt big stoones on a mahntin called Ebal.

'E cuvvud the stoones wi' plasta un wile the plasta wuz still saft 'e rit the wairds o' God's law uz Moses ud asked the childrun uz Israel ter dew afower thay crossed the rivva Jordan.

JOSHUA

(Chapters 9—24)

IN them days kings day rewl oover a wull country like thay dun terday; thay onny yewster rewl oover a sitty.

All the Kings o' Canaan 'eerd uz 'ow Joshua un iz blokes ud distriyed Ai soo thay startid ter gerr evvrythin' reddy ter goo un 'ave a goo ut Joshua excep' fer sum fowks wot lived in a sitty called Gibeon. Theez peeple o' Gibeon wuz a bit mower crafty like. Thay day waant ter goo ter war aggin Joshua cuz thay wuz pritty sairtin the Lord ud see uz Joshua wun, soo thay sent sum messinjuz ter Joshua dressed in dairty ode cloos un wore aht shews carryin' sum mowdy ode bred wi' um prittendin' thay'd bin travlin' a lung time.

Wen the messinjuz fun Joshua in the camp thay tode 'im uz thay'd cum frum a lung way off un thay'd 'eerd aah gud God ud bin ter the childrun uv Israel.

Thay'd cum on be'arf o' the peeple weer thay lived ter mek agreemint un be frends wi' th' Israelites.

Joshua day ask the Lord worr 'e shud dew un promissed theez 'ere blokes thut th' Israelites ud be frends wi' the peeple o' Gibeon.

Afta thray days Joshua fun aht thut theez blokes ud bin acoddin 'im soo 'e called um un asked um wot sort uv a gairm thay wuz playin' at

Thay tode Joshua thut thay wuz frit ter jeth o' the childrun uv Israel cuz thay'd 'eerd aah the Lord fairvud um. Bein' uz Joshua ud promissed ter be frends wi' um in the fust plairse 'e day put the peeple o' Gibeon ter jeth.

Insted 'e med um be slairves un wairk fer the praysts un Levites choppin' wud up un tekkin' clayn wairter ter the tabbunackle.

The king uv a sitty called Jerusalem wor 'arf anniyed wi' the peeple o' Gibeon fer gerrin pally wi' the childrun uv Israel.

This King o' Jerusalem un fower uther kings gorr all thayer sowjuz tergether un serr off t' 'ave a goo ut the fowks wot lived ut Gibeon.

The blokes o' Gibeon sent a messij ter Joshua sayin', "cum kwick un 'elp we cuz sum kings wot live in the mahntins uv cum ter mairder we."

Joshua un iz sowjuz went aht ter fite theez kings un thayer armiz.

Wen thay sid Joshua un 'iz blokes acummin' thay wuz all frit soo thay startid arunnin' off. Wile thay wuz arunnin' the Lord sent 'airl storm. Th' 'airlstoons wuz woppin big 'evvy uns un wen thay drapped on top o' the yeds o' th' Israelites ennamiz, mower on um wuz killed thun th' Israelites killed wi' thayer sords.

Joshua tode 'iz blokes ter kayp on chairsin' afta them wot

wuz still arunnin', but the trubbul woz that be this time it wuz gerrin dark un Joshua thort thay'd all isscairp soo 'e spoke ter the sun un the mewn askin' um not ter shift.

God 'eerd Joshua's prair un let the sun un mewn stop weer thay woz mekkin it stop lite.

Theer ay bin such a lung day afower nor sinss.

Th' ennamiz kep' on arunnin' but the five kings went un 'id in a cairve.

Joshua tode 'iz blokes ter kayp gooin' afta um but ter shuv sum grairt big stoones up aggin the mahth o' the cairve weer theez kings wuz 'iydin.

Wen the childrun uv Israel ud wun the battle thay went back ter Joshua un 'e tode um ter goo un shift the stoones frum the cairve weer theez kings wuz 'iydin un bring um aht.

Joshu put the kings ter jeth uz God tode 'im un wen it wuz dark thay tuk thayer jed boddiz un shuvved um back in the cairve weer thay'd 'id un sayled the cairve up aggen wi' the big stoones.

Th' Israelites gairned victree oover twenty-fower mower kings but theer wuz still alorro land lef' in Canaan wot thay 'adn't tuk.

Be this time Joshua wuz gerrin' ode un wor ser spriytlee ut laydin' 'iz sowjuz ter war.

The tabbunackle wot the childrun uv Israel ud bin carryin' wi' um wuz evenchally serr up arr a plairse called Shiloh wot wuz in the middle o' Canaan.

Sinss th' Israelites ud bin in Canaan thay'd onny tuk part on it un thay wuz gerrin' fed up wi' fiytin' un waantid t' 'ave a rest.

The Lord wor verry playsed abahrr um gerrin' 'arf sowked un tode Joshua thut theer wuz still alorro the land 'e wuz geein um worr 'adn't bin tuk.

Joshua spoke ter th' Israelites un asked um ter chewse sum blokes amungst umselves wot cud goo un' ave a luk ut the parts o' Canaan worr adn't bin tuk.

Thay chowse twenty-one blokes un Joshua asked um ter goo un find aht wot the rest o' Canaan wuz like.

'E asked um ter rite a disscripshun o' the plairsis dahn in a buk.

Wen thay went back ter Joshua wi' the buk thay'd rit

evvrythin' in 'e cast lots ter show wot part o' Canaan aych tribe cud 'ave.

'E tode um ter goo un drive th' ayth'n nairshuns aht un tek the land forr umselves.

Thay chowse the sittiz wot wuz ter be sittiz o' refyewj un thay gid the praysts un Levites fowerty-airt sittiz weer thay cud live wi' thayer famliz.

Joshua called the blokes o' the tew un 'arf tribes worr ud lef' thayer famliz in Gilead t' 'elp thayer rillairshuns fiyte un tode um thay cud goo back wum on th' uther side o' Jordan.

Th' uther Israelites gid um gode un silva un alorro cattle ter goo wum wi'.

Joshua tode um afower thay went te be gud sairvunts o' the Lord un alliz rimmemba the things wot Moses ud lairnt um.

Wen the tew un 'arf tribes got ter the bonk o' the rivva Jordan thay stopped un bilt altar shairped like the one weer thay bairnt offrinz ut the tabbunackle ut Shiloh.

God ud tode the childrun uv Israel thut thay cud onny bairn offrinz on th' altar ut the tabbunackle, un wen th' uther tribes 'eerd abahrr um bildin' anutha altar thay wuz fewreeuss un got tergether ter goo un 'ave a goo ut the tew un 'arf tribes.

'Igh prayst nairmed Phinehas un ten o' the prinssiz went fust un sed ter the tew un 'arf tribes, "wot bist playin' at? All the blokes uv Israel uv sent we t' ask wot yow'n bilt altar for. The Lord ull cum un punish the lorr on we if you bairn sacrifiyssiz on this altar."

The blokes ansud Phinehas un sed, "we ay gooin' ter bairn sacrifiyssiz. We'en onny bilt it soo that wer we lot un yow lot um all jed un yower kids see ower kids on th' utha side the rivva thay'll think ower kids dow billung the tribes uv Israel soo we'en bilt this one like the one ut Shiloh ter prewve we billung the childrun uv Israel un then ower kids will be airble ter goo un wairship God ut Shiloh if thay waant tew."

Wen th' utha Israelites knowed thut the tew un 'arf tribes wor dissabayin' God un ud bilt th' altar fer a gud rayzun thay wor anniyed enny mower.

It wor lung afta this uz Joshua tode the peeple 'e wuz gunna die.

’E asked um ter rimmemba ’ow gud God ud bin tew um, ter luv ’im un be ’iz sairvunts un nevva ter wairship iyduls. Thay promissed Joshua thay’d alliz be’ airve umselves un sairve God.

Joshua gorr a grairt big stoon un plairsed irr unda owk tree wot wuz by the tabbunackle un tode um us the stoon ud alliz rimmiynd um o’ the promiss thay’d med ter sairve God.

Joshua died afta this un ’e wuz ’undred un ten ’ear ode.

The childrun uv Israel berrid ’im in the part o’ Canaan worr ud bin gid tew ’im fer ’izself on the side uv a bonk called Gaash.

The jed boddy o’ Joseph wot the childrun uv Israel ud bort wi’ um frum Egypt wuz berrid ut Shechem the plairse weer ’iz fairther ud sent ’im ter luk fer iz bruthuz wairin’ ’iz coot o’ menny culluz almoost thray ’undrud ’ear agoo.

JUDGES

(Chapters 1—8)

Afta Joshua wuz jed the blokes billungin’ th’ Israelites startid ter fite th’ ayth’n nairshuns livvin in Canaan un God ’elped the childrun uv Israel.

The trubbul woz, thay day pairsivayer anuff un day drive the wull lorr on um aht.

God spoke ter th’ Israelites un sed, “Arn bort yer all ter the land worr ah promissed ter gi’ yer but yow ay dun worr arn tode yer. Yow ay bost th’ iyduls up un it luks uz tho’ yow’m gerrin’ pally wi’ theez ’ayth’ns. Arm gerrin’ sick o’ yow lot soo yow cun gerr on wi’ it, un th’ ayth’ns worr um lef’ ’ere ull tempt yer ter sin un wo’ ’arf corze yer alorr o’ trubbul.”

Wen the childrun uv Israel ’eerd God’s wairds, thay all got the wind up but thay sewn fergorr abahrr it un startid gerrin' evva ser pally wi' th' uther naishuns wot livved in Canaan.

Thay norr onny traytid um uz thayer frends, thay let thayer sons un dortuz marry the Canaan chaps un wenchiz.

The fowks wot livvel in Canaan wairshipped iyduls.

Theer wuz tew o' theez iyduls nairmed Baal un Ashtaroth.

God sent ennamiz ter fite th' Israelites un mek um thayer sairvunts.

Wen the childrun uv Israel rippentid un asked God t' 'elp um 'e 'eerd um un gid um sum rewlers called Jujiz wot led um aht ter war aggin thayer ennamiz un serr um fray. Uz sewn us thay wuz fray thay forgorr abaht God un sinned aggen.

Thay kep' on sinnin' un rippentin' fer mower thun thray 'undred 'ear un jewrin this time thay 'ad fifteen jujiz.

Caleb's brutha, a bloke nairmed Othniel wuz the fust juj.

Th' Israelites ud bin the King o' Mesopotamia's sairvunts fer airt 'ear.

Othniel went un fort this 'ere king un God gid Othniel the victree wot med it soo uz th' Israelites day atter sairve the king no lunger.

Then evvrybody 'ad a rest frum war fer fowerty 'ear.

Wen Othniel died the childrun uv Israel sinned aggen.

The King o' Moab un 'iz armee cum un fort th' Israelites un med um 'iz sairvunts fer airteen 'ear.

Wen th' Israelites criyed ter the Lord t' 'elp um, the Lord med Ehud juj oover um.

'E billunged the tribe o' Benjamin un 'e wuz left 'ondid.

The Lord sent Ehud ter set th' Israelites fray frum the King o' Moab.

Ehud med 'izself a dagger un 'id it unda iz cloos on 'iz right thigh.

Wen the King o' Moab wuz sittin' in 'iz summer parler Ehud went tew 'im un sed, "Aar dew yower majisty. Arv bin sent ter see you be God on a seecrit errund."

The king sent all 'iz sairvunts aht soo uz Ehud un 'im cud be by umselves.

Uz sewn uz Ehud wuz aloon wi' the king 'e purr 'iz left 'ond aht un fetched the dagger frum 'iz right thigh un shuvved it rite in the king's boddy un the king drapped dahn jed.

Ehud went aht o' the rewm lockin' the dewers aftarr 'im un tuk 'iz uk.

The king's sairvunts day know worr Ehud ud dun un wen thay fun all the dewers locked thay day tek enny nowtiss cuz thay onny thort the king waantid ter be by 'izself.

Thay day 'arf wairt a lung wile un wen thay did unlock the dewers thay wuz dum-struck seein' thayer masta lyin' jed on the flewer.

Ehud ud got soo fare away be this time noboddy cud cop 'im.

Ehud went ter Mahnt Ephraim in Canaan un blowed a trumpit ter call the men uv Israel.

Wen thay got tew Ehud 'e sed, " Foller me un the Lord will gi' yer the victree."

They follered 'im ter the rivva Jordan weer thay 'ad a goo ut the men o' Moab un killed ten thahzund on um. Thay day let enny on um isscairp.

The childrun uv Israel wuz set fray frum the Moabites un then thay 'ad a rest frum war fer airty 'ear.

Shamgar becum juj afta Ehud.

'E fort aggin thayer ennamiz the Philistines un the Lord 'elped 'im. 'E killed six 'undred blokes by izself un 'e'ed onny gorr ox-goad in 'iz 'ond.

The childrun uv Israel sinned aggen. The King o' Canaan cum un 'ad a goo arr um un med um 'iz slairves for twenty 'ear.

Afta Shamgar the Lord picked a wummun ter be juj oover Israel un 'er nairme wuz Deborah un 'er livved in 'owse wot stud unda a palm tree nayer Bethel. Deborah sent fer a mon nairmed Barak un tode 'im thut the Lord waantid 'im ter tek ten thahzund Israel blokes un goo un fite Sisera the captin o' the King o' Canaan's armee.

Barak wuz frit un sed 'e'ed onny goo if Deborah went wi' 'im. Deborah sed 'er'd goo but Barak wudn't be airble ter swank abaht victree cuz it ud bee a wummun wot ud kill Sisera. Barak un Deborah wi' ten thahzund blokes went off t' 'ave a goo ut Sisera.

Sisera gorr all the King o' Canaan's armee tergether un sum war charryuts med uv iyun ter fite the children uv Israel.

Barak wi' 'iz ten thahzund blokes gid Sisera's armee a beltin' un the Lord gid um the victree.

Sisera wuz frit ter jeth o' Barak soo 'e gorr off 'iz charryut un tuk 'iz uk.

Wen Sisera got tew a tent billungin' a wummun nairmed Jael 'e sed, "Giz a drap o' wairter, I ay 'arf thairsty."

Jael wuz a frend ter th' Israelites. 'Er owpund a bottle o' milk un gid it 'im ter drink.

Sisera then sed ter Jael, "Stond by the dewer o' yower tent un if ennyboddy cums un asks yer if theer's a bloke inside, tell um thur ay."

Sisera went inter Jael's tent un got dahn on the flewer t' 'ave a slayp.

Theer wuz a grairt big nairl 'owdin' the side o' the tent ter the grahnd un Jael guz un gets 'ode on it un tip tood back inter the tent weer Sisera wuz aslayp un 'ommered the nairl rite intew 'iz yed un killed 'im.

It wor lung afta wen Barak cum lukkin fer Sisera soo Jael guz tew 'im un sed, "Cum wi' me un arl show yer wot yow'm alukkin fower."

'Er tuk Barak in the tent ter show 'im Sisera's jed boddy.

Barak day 'a' the prairze o' victree tho' cuz Sisera ud bin killed be th' 'ond uv a wummun like Deborah ud sed.

The peeple 'ad a rest frum war fer fowerty 'ear afta this.

Wen the fowerty 'ear wuz up thay startid misbe'avin' umselves aggen un God wuz anniyed wi' um.

The Midianites cum up aggin um un med um thayer sairvunts un traytid um summut crewil.

Thay drove the childrun uv Israel frum thayer wums soo thay arrer goo un live in dens un cairves in the mahntins. All the grairn worr ud growed un all the cattle wuz tuk by the Midianites un th' Israelites ud got nuthin' lef' t' ate. The children uv Israel cried ter the Lord t' 'elp um un the Lord sent a proffit ter tell um 'ow wickid thay'd bin.

Amung th' Israelites wuz a bloke nairmed Gideon, un one day 'e wuz threshin' wate un wuz gunn 'ide frum the Midianites. The Lord cum tew 'im in the form uv airnjul un startid talkin' tew 'im. Gideon tode the Lord abahrr all the trubbul the Midianites ud corzed the childrun uv Israel.

The Lord sed, "You'm gunna set the childrun uv Israel fray frum the Midianites." Gideon sed, "Ow'm ah gunna dew that then?" The Lord sed, " Ah shull be wi' yer un ah shull see thut yow'l distriy the wull armee like uz if it wuz one mon." Gideon sed, " Stop theer a bit wile ah goo un gerr offrin fer yer."

Gideon guz un kills a kid un shuvved the mayte in a baskit un tuk it ter the Lord.

The Lord tode 'im ter purr it on a rock wot wuz theer un wen Gideon purr it on the rock the Lord tuched the mayte wi' th' end uv a staff 'e'ed gorr in 'iz 'ond un fiyer cum up aht the rock un bairnt th' offrin.

Then the Lord tuk off.

Armee o' Midianites cum un med thayer camp in the Valley o' Jezreel soo Gideon blowed a trumpit ter call the childrun uv Israel ter goo wi' 'im ter fiyte um.

Gideon asked the Lord ter pufform a mirickle soo tharr 'e cud be shewer 'e wuz gunna be 'elped ter goo un fiyte the Midianites.

Gideon sed 'e'ed tek a flayce o' wool un layve irr on the grahnd all nite. If the wool ud got joo on it the nex' mornin' un the grahnd wuz dry all rahnd it 'e'ed know the Lord wuz gunna 'elp 'im.

Gideon lef' the wool on the grahnd all nite un wen 'e went tew it airly the nex' mornin' it wuz full o' joo un 'e skweejed the joo aht on it wi' 'iz 'onds un filled a bowl wi' wairter un the grahnd all rahnd the wool ud stopped dry.

Gideon spoke ter the Lord aggen un asked 'im not ter gerr on tew 'im if 'e asked 'im ter dew summut else.

Gideon sed 'e'ed put the flayce aht aggen un waantid it ter be lef' dry un the grahnd all rahnd it ter be wet.

Nex' mornin' the flayce wuz theer us dry us a boon un the grahnd all rahnd wuz sobbin' wet.

Gideon knowed be theez mirickles wot the Lord dun tharr 'e'ed 'elp 'im ter goo un fite the Midianites.

Gideon un th' Israelite armee gorr up airly un went ter the Midianites camp. The Lord spoke ter Gideon un tode 'im theer wuz tew menny blokes in Israels armee. If all this lot went aggin the Midianites thay'd win aysey un thay'd be airble ter say thay'd wun the battle wi' aht the Lord's 'elp. The Lord tode Gideon ter spake tew all the blokes in th' armee un tell them wot wuz frit uz thay cud goo back wum.

Wen Gideon tode um this twenty-tew thahzun' blokes went wum un theer wuz ten thahzun lef' ter gurrer war.

The Lord spoke ter Gideon aggen tellin' 'im us theer wuz still tew menny blokes.

The Lord sed, " Bring all the blokes dahn ter the wairter un arl tell yer wich blokes ter tek wi' yer."

Gideon tuk um all ter the wairter un thay wuz all thairsty soo thay drunk sum o' the wairter.

Sum o' the blokes scewped the wairter up in thayer 'onds ter drink un sum on um put thayer mahths in the wairter.

The Lord tode Gideon that the blokes wot drunk aht thayer 'onds wuz the ones ter goo un fite.

The sairme nite the Lord tode Gideon ter gerr up un goo wi' the thray thahzun' blokes un goo un 'ave a goo ut the Midianites un 'e'ed gi' um the victree, burr if 'e wuz frit, ter goo fust wi' 'iz saivunt un goo un 'ide near the Midianites camp un liss'n ter wot thay wuz asayin'.

Theer wuz evva such a gud menny Midianites un thay'd got that menny camuls noboddy cud cahnt um.

While it wuz dark Gideon tuk 'iz sairvunt un wen thay got near the Midianites camp 'e 'eerd tew on um atalkin'.

One on um wuz atellin th' uther abahr a draym 'e'ed 'ad. 'E sed 'e dremt tharr a barley loof cum asairlin' frum the sky un it drapped onter one o' the tents un flatt'nd it.

The bloke wot wuz alissnin' sed, " that loof o' bred mayns the sord o' Gideon un the Lord iz gunna gi' we all tew 'im."

Wen Gideon 'eerd this 'e guz back ter the thray thahzun' blokes un tode um ter gerr up.

'E divviydid um inter thray cumpuniz un gid aych bloke a trumpit un a pitcher wi' a lite inside.

Gideon tode um ter kayp thayer eyes on 'im un dew uz 'e did.

Wen 'e blowed 'iz trumpit thay'd all gorra shaht " The sord o' the Lord un o' Gideon."

All uv a suddin in the middle o' the nite Gideon un the thray thahzun' blokes startid blowin' thayer trumpits.

Thay broke the pitchers thay wuz acarryin un bawled, " The sord o' the Lord un o' Gideon." Wen the Midianites 'eerd all the niyze un sid all the lamps bairnin' worr ud bin 'id inside the pitchers thay wuz frit ter jeth un tuk thayer uks.

Gideon follered um ter the rivva Jordan un God gid 'im the victree, soo the Midianites wuz drove aht o' Canaan un the childrun uv Israel day arrer sairve um no lunger.

Gideon wuz juj oover the peeple fer fowerty 'ear.

'E livved ter be a ripe ode airj un 'ad a gud menny sons, un wen 'e wuz jed 'e wuz berrid in iz fairthuz sepulka.

JUDGES

(Chapters 8—12)

WEN Gideon wuz jed the childrun uv Israel fegorr 'ow gud the Lord ud bin tew um un tairned away frum 'im ter wairship th' iydul Baal.

Abimelech, Gideon's son went ter the sitty o' Shechem weer the peeple ud serr up imij o' Baal un asked 'im ter mek 'im thayer king.

Thay med 'im king un gid 'im sevvunty paysiz o' silva frum thayer iyduls tempul.

'E spent the munnee on 'iyerin wickid blokes ter goo wi' 'im tew 'elp 'im mek 'izself king oover all the rest o' the peeple.

'E went ter th' 'owse we'er 'iz fairther Gideon ud livved un killed all 'iz bruthers excep' one wot ud tuk 'iz uk.

Abimelech did all this cuz 'e wuz frit 'iz bruthers mite be med rewlers oover the peeple insted uv 'im.

The men o' Shechem 'elped 'im ter kill 'iz bruthers.

Wen Abimelech ud bin king fer thray 'ear God sent trubbul on 'im un the peeple o' Shechem.

God sent ayvil spirit amung um un insted uv um bein' frends un 'elpin' aych uther thay becum ennamiz un startid 'aytin' the siyte uv aych uther.

Wen Abimelech went aht o' the sitty the peeple set sum blokes ter waatch un see if 'e cum back un thay wuz gunna kill 'im.

The guvner o' the sitty wuz a pal uv Abimelech's un 'e sent a secrit messij tew Abimelech sayin' thut the peeple o' Shechem cudn't abare 'im no lunger un if 'e wuz gunna cum back ter cum back wi' the blokes wot wuz wi' 'im in the nite soo's noboddy ud see um un 'ide in the feeulds till nex' mornin'.

The guvner sed uz the peeple o' Shechem ud cum un gi' 'im a pairstin' if thay knowed 'e wuz theer.

Abimelech did wot the guvner sed un bort 'iz men in the nite un thay 'id in the feeulds.

Wen it wuz lite the peeple sid Abimelech un 'iz gang un thur wor 'arf a scrap. Abimelech un 'iz blokes chairsed the peeple o' Shechem back ter the sitty gairts killin' alorr on um un all. Nex' day the peeple o' Shechem cum t' 'ave anuther goo ut Abimelech.

Abimelech divviydid 'iz blokes inter thray cumpaniz un tode um t' 'ide in the feeulds.

Wen the blokes o' Shechem ud gorra gud way away frum the sitty gairts one uv Abimelech's cumpaniz run ter the sitty gairts un stud theer soo thut the blokes o' Shechem cudn't get back. Then th' uther tew cumpaniz ran aht o' the feeulds un killed the blokes o' Shechem.

Abimelech un 'iz blokes went inter the sitty un thay wuz fiytin' all day. Thay killed peeple un broke thayer 'owziz distriyin' evvrythin' thay cud lay thayer 'onds on.

Sum o' the blokes o' Shechem worr ud isscairped run ter the tempul o' thayer iydul un locked umselves up in it soo uz Abimelech cudn't gerr at um.

Abimelech went up on a mahntin weer wud wuz growin'.

'E gorr axe in 'iz 'ond un cut dahn a branch uv a tree.

'E liftid the branch on 'iz showder un tode all 'iz blokes t' 'urry up un dew worr 'e'd dun.

Evvry mon curr a branch un thay follered Abimelech ter th' iyduls tempul un piled up the branchiz aggin the dewer un set fiyer tew um, un the tempul un all the blokes wot wuz in it wuz bairnt tew a gleed.

Abimelech went tew anuther sitty called Thebez un fort un tuk it.

Wen it wuz tuk the fowks o' the sitty tuk thayer uks tew a strung tower un shut the dewer un went ter the top o' the tower.

Abimelech wuz gunna bairn the plairce like 'e'd bairnt th' iyduls tempul, burr a wummun wot wuz on top o' the tower throwed dahn a payce o' mill stoon on 'iz yed un broke 'iz skull boones.

Wen this 'app'n'd 'e knowed 'e wuz adyin' un called one uv 'iz yung blokes un sed, " Get yower sord un kill me cuz ah dow waant ennybody ter know uz it's a wummun wot's killed me.

Abimelech wuz a mon o' war un wuz ashairmed t' 'ave it sed thurr a wummun ud killed 'im.

The yung bloke drawed 'iz sord un shuvved it intew Abimelech's boddy un killed 'im.

God ud sent this punishment t' Abimelech fer killin' 'iz bruthers, un on the peeple o' Shechem fer 'elpin 'im ter dew that sin.

Wen Abimelech wuz jed a bloke nairmed Tola o' the tribe uv Issachar wuz juj oover the childrun uv Israel.

Nuthin' much 'app'n'd wile 'e wuz juj un 'e wuz juj fer twenty-thray 'ear. Wen 'e died 'e wuz berrid weer 'iz wum ud bin in the sitty o' Shamir on mahnt Ephraim.

Then it wuz the tairn o' Jair, a bloke uv Israel wot livved in the land o' Gilead weer the tew un 'arf tribes livved. 'E wuz juj fer twenty-tew 'ear.

'E 'ad thairty sons un aych one wuz a guvner oover a sitty in Gilead.

Wen Jair died 'e wuz berrid in the sitty o' Camon.

The childrun uv Israel did ayvil aggen.

Thay tairned away frum sairvin' the Lord ter sairve Baal un Ashtaroth th' iyduls thayer fairthers ud wairshipped.

The Philistines med war aggin the childrun uv Israel un the Lord day 'elp um.

Thayer ennamiz got the better on um un med um thayer sairvunts fer eighteen 'ear.

The childrun uv Israel cried ter the Lord fer 'elp burr 'e tode um tharr evvrytime 'e serr um fray frum thayer ennamiz thay lef' 'im ter sairve iyduls.

God tode um ter guttew thayer iyduls un ask them t' 'elp um.

The childrun uv Israel still cried ter the Lord cunfessin' thayer sins un asked 'im ter punish um the way 'e sid best but begged on 'im ter serr um fray frum th' ennamiz wot wuz rewlin' oover um.

Thay stopped wairshippin' th' iyduls un sairved the Lord aggen un the Lord tuk pitty on um in thayer suffrinz.

The Ammonites congrigairtid tergether un med thayer camp in the land uv Gilead on t' uther side o' Jordan.

The childrun uv Israel ud got thayer camp urr a plairse called Mizpeh un thay waantid a captin fer thayer armee.

Thay sed, "Ooo'z the bloke wot'll layde we aht ter goo un fiyte the Ammonites?" One o' the blokes o' the childrun uv Israel wuz nairmed Jephthah.

'E wuz a braive sowja but the blokes uv Israel 'ad'nt bin verry nice tew 'im soo 'e'd tuk 'iz uk frum Gilead un went ter live in the land uv Tob. Wen the peeple waantid a mon ter layde um aht ter war thay rimembud Jephthah.

Th' elduz o' Tob went ter Jephthah un sed, "Cum un be we captin un we'll goo un fiyte th' Ammonites." Jephthah ansud, "Yow'n traytid me summut crewil un now yow'm in trubbul yow'm tryin' ter get rahnd me."

Th' elduz begged on 'im ter goo un 'elp um fiyte th' Ammonites un be rewler oover all the peeple o' Gilead.

Jephthah med um promiss tharr if the Lord gid 'im the victree thay'd mek 'im rewler oover all the peeple.

Jephthah sent messinjuz ter the King o' the Ammonites askin' 'im why 'e waantid ter fiyte the childrun uv Israel.

The king sed it wuz cuz thay'd tuk 'iz land wen thay cum aht uv Egypt un 'e waantid it back.

Jephthah sent sum messinjuz aggen sayin' the' onny land thay'd tuk wuz gid ter the childrun uv Israel be the Lord in the fust plairse.

The King o' the Ammonites day waant ter liss'n ter wot Jephthah sed soo Jephthah un the blokes uv Israel went ter th' Ammonites camp.

Afower the battle Jephthah med a vow tharr if the Lord gid 'im the victree 'e'd offer up uz a bairnt offrin the fust thing 'e sid wen 'e got wum.

'E fort th' Ammonites un the Lord gid 'im the victree un the childrun uv Israel wuz set fray.

Wen the battle wuz oover Jephthah went wum un as 'e got terwards 'iz 'owse 'iz onny child, a dorter cum aht dancin' cuz 'er wor arf playsed ter see 'er fairther.

Wen 'e sid 'er 'e wor 'arf miythered un ripped 'iz cloos up un tode 'iz dorter o' the vow 'e'd med.

It 'ud a bin better if Jephthah ud rippentid uv 'iz vow un asked ter be fergid un bairnt summut else insted burr 'e day.

'E tuk 'iz dorter un did worr 'e'd promissed un all the yung wenchis uv Israel blartid.

Jephthah wuz juj fer six 'ear un wen 'e died 'e wuz berrid in one o' the sittiz o' Gilead.

After Jephthah wuz jed Ibzan wuz juj fer sevvun 'ear. After 'im Elon wuz juj fer ten 'ear follered be Abdon un 'e wuz juj fer eight 'ear.

JUDGES

(Chapters 13—16)

THE Lord wor verry playsed cuz the childrun uv Israel sinned aggen.

The Philistines cum aht aggin um un med um thayer slairves fer fowerty 'ear.

Thur wuz a bloke uv Israel nairmed Manoah un 'im un 'iz missis fayered God, but thay'd nevver 'ad a babby. Th' airnjul o' the Lord cum un spoke ter Manoah's missus un tode 'er uz 'er wuz gunn 'ave a babby son un thut 'e shud be a Nazarite ter God.

Nazarites wuz kep' ter sairve God. Thay wor allahed ter drink wine un thay 'ad ter let thayer 'air grow lung un nevver 'ave it cut.

Th' airnjul sed thut thayer son ud be the one wot ud begin ter set the childrun uv Israel fray.

The wummun went un tode 'er 'uzband tharr a proffitt ud bin un spoke tew 'er. 'Er day know uz the bloke wuz airnjul mind yer.

'Er sed, " 'E wuz a luvvly bloke un 'e'd gorr a fairce like airnjul. 'E day tell me weer 'e'd cum from un ah day ask 'im."

Wen Manoah 'eard this 'e prayed ter God sayin', "O

Lord let that bloke o' God wot yo' sent cum aggen ter we un tell we wot we'n gorra dew wi' this babby we'm gunn 'ave.

The Lord 'eard Manoah's prayer un th' airnjul cum aggen ter Manoah's missis wile 'or wuz sittin' in a feeuld but Manoah wor wi' 'er.

'Er run ter tell Manoah thut the mon ud cum aggen.

Manoah went wi' 'er un 'e wen 'e got ter the mon 'e sed, "Bin yo' the mon o' God wot spoke ter mar missis?"

The mon ripliyed, "Ah bin."

Manoah sed, "Well, wot'n we gorra dew wi' this babby yow'n promissed we?"

Th' airjul sed, "Ah'n alreddy tode 'er worr 'er's gorra dew soo mek shooer 'er's careful tew abbay."

Manoah begged o' th' airnjul ter goo un a' summut t' ate wi' um, cuz thay still day know uz it wuz reelly airnjul.

Th' airnjul sed uz 'e wor 'ungree un day waant nuthin' t' ate un Manoah sed, "Wull yer tell we yer nairme soo uz wen it cums trew wot yow'n tode we, we shull know oo we'n gorra onner."

Th' airnjul sed uz 'iz nairme wuz a saycrit. Manoah gorr a kid frum 'iz flock un purr it on a rock un offud it uz a bairnt offrin'.

Then th' airnjul did summut wunderful. Wile the fiyer wuz bairnin' on the rock the flairms went up t' 'evv'n un th' airnjul went up in the flairms.

Wen Manoah un 'iz missis sid this thay bahed dahn wi' thayer fairsis ter the grahnd un Manoah sed, "We'n sid God," cuz 'e thort th' airnjul wuz the Lord.

Then Manoah sed, "Ah reck'n we shull die cuz we'n sid God," burr 'iz missis sed, "If God wuz gunna kill we 'e wudn't a let we offer a bairnt offrin' nor tode we we'm gunn 'ave a son."

Sewn after this thay 'ad the babby thay'd bin promissed un thay nairmed 'im Samson.

Wen Samson ud growed up 'e went tew a sitty called Timnath un sid a wench theer wot tuk 'iz fancy un 'er wuz the dorter uv a Philistine.

'E went back wum un tode 'iz muther un fairther 'e'd sid a wench 'e waantid ter marry.

'Iz muther un fairther waantid 'im t' 'ave a wench frum

Israel burr 'e wuz ditairmind t' a' the Philistine wench un asked 'iz muther un fairther ter goo un gerr 'er forr 'im.

Samson un 'iz muther un fairther went ter Timnath un wen they got ter sum vinyards theer a yung lion cum up ter Samson un rooerd at 'im.

The Lord ud gid Samson alorr o' stren'th. . 'E 'adn't gorr a sord or ennythin' ter kill the lion un 'e wuz airble ter kill it wi' 'iz bare 'onds.

'E went ter see the wench worr 'e luvved un sed 'e'd goo back aggen ter marry 'er. Wen 'e wuz on the way back ter Timnath ter get married 'e got ter the plairse wee'er 'e'd killed the lion un it wuz still theer.

A swarm o' bees ud gorr inter the lions jed boddy un med sum 'unny.

Samson scewped sum o' th' 'unny un et it. 'E gid sum o' th' 'unny tew 'iz muther un fairther burr 'e day tell um we'er 'e'd 'ad it from.

Samson gorr a fayst reddy ut Timnath cuz all blokes yewster a' one afower thay wuz married.

The fayst lastid a wik un thairty Philistines went tew it.

Samson tode the Philistines 'e wuz gunna put forwud a riddle tew um un thay'd gorra try un find aht worr it ment.

If thay fun aht afower the sevvun days o' the fayst wuz up 'e promissed 'e'd gi' um thairty sewts o' cloos burr if thay day find aht thay'd gorra gi' 'im thairty sewts o' cloos.

The Philistines wuz aggrayabul un asked Samson the riddle.

Samson sed, " Aht o' th' ayter cum forth mayte un aht o' the strung cum forth swaitniss."

Worr it ment wuz aht o' the strung lion wot wuz reddy t' ate Samson 'e'd tuk swait 'unny t' ate fer 'izself.

The Philistines tried fer thray days ter find aht worr it ment.

Thay went ter Samson's missis un tode 'er thay'd bairn 'er un 'er fairther's 'owse unless 'er 'elped um ter find th' anser.

'Er pusswairdid Samson ter tell 'er.

'Er sed 'e day luv 'er cuz 'e 'adn't tode 'er worr it ment.

'Er kep' on blartin un Samson day like 'er dewin this soo 'e tode 'er th' anser.

The Philistines went ter Samson un pritendid thay'd fun aht th' anser umselves.

They sed, " Worr is swayter thun 'unny un wot's strunger thun a liyun?"

Samson gessed iz missis ud tode um.

It wuz gerrin time fer Samson ter punish the Philistines fer wot thay'd dun ter the children uv Israel. God ud gid Samson grairt stren'th soo's 'e cud 'elp the children uv Israel.

Samson went tew a sitty called Ashkelon un 'e killed thairty blokes un tuk thayer cloos ter gi' the Philistines worr ud tode 'im th' anser tew iz riddle.

Samson went back tew 'iz oon wum un 'iz missis stopped in Timnath.

Wen it wuz 'arvist time Samson went ter Timnath ter visit 'iz missis ter tek 'er a kid.

'Er fairther wudn't lerr 'im in th' 'owse un sed 'er wor 'iz wife enny lunger, 'er wuz sumboddy elsis missis.

This anniyed Samson, soo 'e guz un cetchis thray 'undrud foxis un tied fiyer-brands ter thayer tairls un lerr um lewse in the feeulds un vinyards o' the Philistines.

The grairp vines un olive trees wuz all bairnt.

Wen the Philistines knowed wot Samson ud dun thay tuk 'iz missis un er fairther un bairnt um ter jeth.

Samson fort aggin the Philistines un killed alorr on um then 'e went ter the top uv a rock called Etam.

The Philistines went afta 'im un med thayer camp in Israel. Thay tode the childrun uv Israel thay'd cum ter get Samson fer all the things 'e'd dun accross um.

Thray thahz'n blokes uv Israel went ter the top o' the rock un sed ter Samson, " Dun you known thut the Philistines um rewlers oover we. Wot'n yow dun tew um?"

Samson sed the Philistines ud dun ayvil tew 'im un that wuz why 'e'd dun ayvil ter them.

Th' Israelites sed thay wuz gunna tie 'im up un gi' 'im ter the Philistines but promissed not ter kill 'im.

Samson lerr um tie 'im up wi' tew cords un thay tuk 'im ter the Philistines camp. The Philistines wuz glad thay'd gorr 'im un startid shahtin 'orrable things tew 'im. Samson wuz that strung 'e broke the cords uz ayzey uz ennythin'. 'E lukked rahnd un sid the jawboon uv ass un fort the Philistines wi' it.

Wen 'e'd killed a thahz'n blokes wi' it 'e chukked it away.

'E wuz faylin' wek fer the waant uv a drink o' wairter soo 'e prayed ter the Lord un the Lord cauzed a spring o' wairter ter flow un wen 'e'd 'ad a drink 'iz stren'th cum back.

Then 'e went tew a sitty called Gaza un went in 'owse theer.

The Philistines livved in Gaza un wen thay 'eerd Samson ud cum thay shut the sitty gairts un waatched um all nite ter stop 'im gooin' aht, un thay wuz gunna kill 'im the nex' mornin'.

Samson gorr up in the nite in wen 'e fun the gairts wuz shut 'e dragged up the poosts we'er the gairts wuz fassn'd.

'E tuk the poosts un the gairts un the bar wot went accross um on th' inside un purr um all on iz showduz un carrid um ter the top uv a bonk.

A wummun nairmed Delilah lived theer un Samson yewster guttew 'er 'owse.

The Lords o' the Philistines got t' ear abaht this fren'ship un went un promissed Delilah illevvun 'undrud paysis o' silva if 'er'd find aht ow thay cud tie Samson up soo uz thay cud dew wot thay liked wi' 'im.

Delilah begged o' Samson ter tell 'er wot med 'im ser strung un 'ow 'e cud be tied up wi' aht brairkin lewse aggen.

'E day tell 'er the trewth un sed if 'e wuz bahnd up wi' sevvun green withes 'e wudn't be airble ter brairk aht on um.

Delilah tode the Philistines un thay gid 'er sevvun green withes un Samson lerr 'er bind 'im up.

Sum blokes wuz 'iydin' in the rewm un wen Delilah ud finished bindin' Samson up 'er sed, "The Philistines um cumin' ter tek yow Samson."

Samson broke the withes us ayzey uz if thay wuz bits o' cott'n.

Delilah tode Samson 'e'd bin acoddin 'er un begged on 'im ter tell 'er 'ow 'e cud be tied up.

Samson tode 'er thurr if 'e wuz tied up wi' tew noo rowpes worr 'adn't bin yewsed 'e wudn't be airble ter brairk aht on um.

The sairme thing 'app'n'd aggen. Wen 'er tode Samson the Philistines wuz cummin' ter tek 'im 'e broke the rowpes uz ayzey uz the green withes.

Delilah gorr onter Samson aggen un begged on 'im ter tell 'er the trewth.

Samson tode 'er tharr if 'er plattid 'iz lung 'air 'iz stren'th ud goo frum 'im un thay'd be airble ter dew uz thay'd a mind wi' 'im.

'Er plattid 'iz 'air un tode 'im the Philistines wuz cummin' burr 'e gorr up still uz strung uz 'e woz afower.

Delilah asked 'im why 'e kep' on acoddin 'er un 'er kep' on miytherin' 'im. 'Er wudn't lerr 'im 'ave enny rest soo ut last 'e tode 'er the trewth.

Samson sed 'e'd bin a Nazarite ever since 'e wuz born un 'iz 'air ud never bin cut un if ennyboddy shaived th' 'air off 'iz yed 'e'd be strung no lunger but just uz wek uz uther blokes.

Delilah knowed 'e wor acoddin 'er this time un sent fer the Philistines. Thay cum un bort the munee wi' um wot thay'd promissed 'er.

Wile Samson wuz aslayp Delilah called a bloke ter cum un shairve th' 'air off 'iz yed un then 'er called aht thut the Philistines wuz cummin ter tek 'im. Samson woke up un cudn't dew ennythin' ter the Philistines cuz the Lord ud tuk 'iz stren'th off 'im.

The Philistines tied 'im up wi' chairns med o' brass.

Thay poked 'iz eyes aht un shuvved 'im in priz'n un med 'im wairk be tairnin' a mill-stoon ter grind thayer corn.

Wile 'e wuz in priz'n 'iz 'air growed aggen un 'iz stren'th cum back un all.

The Lords o' the Philistines called all the peeple tergether t' offer a sacrifice ter thayer iydul. The iyduls nairme wuz Dagon un thay waantid ter wairship it cuz thay thort it wuz that worr ud 'elped um ter cop ote o' Samson un mek 'im thayer slairve.

Wile thay wuz all gerrin merry ut the fayst thay sed, " Sen' fer Samson soo uz we con 'a' sum sport."

The' 'owse wuz full o' men un wimmin un all the lords o' the Philistines wuz theer. Thur wuz alorr o' fowks on the rewf un all.

Thay waantid ter luk dahn ter si' them in th' 'owse mek sport o' Samson.

Cuz o' Samson bein' blind a yung chap led 'im be th' 'ond.

Samson asked the chap ter lerr 'im fayl the pillers wot wuz 'odin up th' owse soo's 'e cud layn up um.

The chap giydid 'im soo's 'e cud fayl the pillers uz 'e stud bitween um un Samson sed, "Let me die wi' the Philistines."

'E purr 'iz arms rahnd the pillers, one arm rahnd one piller un th' uther arm rahnd th' uther piller. Then Samson prayed un sed, "O Lord rimemba me un gi' me stren'th jus' this wunce."

'E bent dahn un yewsin all 'iz stren'th 'e pulled the pillers tergether till thay wuz shiftid frum thayer fahndairshuns.

Th' owse fell on top uv all the peeple un killed um.

Samson died wi' um un the Lord ud 'elped 'im in 'iz jeth ter kill mower o' th' ennamiz o' the childrun uv Israel thun 'e'd killed in 'iz life.

Samson's brethrin went un got 'iz jed boddy ter berry in 'iz fairther's sepulker.

Samson wuz juj oover the peeple fer twenty 'ear.

RUTH

WEN the jujiz rewled oover Israel theer wuz a fammin in Canaan.

A bloke o' the childrun uv Israel nairmed Elimelech wot livved in the sitty o' Bethlehem went ter stop fer a wiyle in the land uv Moab. 'Iz missis nairmed Naomi un thayer tew sons went un all.

Thay 'adn't bin in Moab verry lung wen Elimelech died:

The tew sons marrid tew o' the wenchis o' Moab un afta abaht tew 'ear booth the sons died un Naomi wuz lef' wi' 'er tew dorters-in-law.

Wen Naomi 'eerd the fammin ud endid 'er got reddy ter layve Moab un goo back ter Bethlehem.

'Er spoke tew 'er dorters-in-law un asked um if thay

waantid ter stop at Moab we'er thay wuz born un we'er thayer rillairshuns livved.

Wen 'er dorters-in-law 'eard worr 'er sed it trubbuld um un thay startid blartin.

One on um wuz nairmed Orpan un 'er kissed Naomi un sed tarrar tew 'er un went tew 'er oon wum. Th' uther wuz nairmed Ruth burr 'er wudn't layve Naomi.

Ruth sed ter Naomi, "We'er yow goo ah'm agooin', we'er yow live ah'l live, yower frends ull be mah frends, yower God iz mah God, we'er yow die ah'l die un theer ah'l be berrid un all."

Ruth asked God ter punish 'er if ever 'er lef' Naomi.

Wen Naomi sid 'ow much Ruth thort on 'er, 'er day say ennymower abaht stoppin' in Moab.

Thay got ter the sitty of Bethlehem in Canaan we'er Naomi yewster live.

The people rimembud 'er un sed, "Yow'm Naomi bay yer?"

Naomi wuz full o' mizree un sed, "Dow call me Naomi wot mayns plez'nt, call me Mara insted wot mayns bitter cuz the Lord ay bin verry kind ter me."

Wen Ruth un Naomi got ter Bethlehem it wuz the start o' the barley 'arvist.

Naomi ud gorr a rillairshun ut Bethlehem nairmed Boaz un 'e wuz a rich mon.

Ruth asked Naomi ter lerr 'er goo inter the feeulds un glean 'ears o' corn wot ment pickin' the grairn up wot the reapers ud left.

It wuz onny pewer fowks wot gleaned cuz thay 'adn't gorr enny feeulds o' thayer oon un Ruth un Naomi wuz evver ser pewer.

Ruth 'app'n'd ter goo ter the feeuld wot billunged Boaz.

Boaz went tew 'iz feeuld un sed tew 'iz reapers, "The Lord be wi' yer." Thay ansud, "The Lord bless you."

Boaz asked 'iz chayf sairvunt, the gaffer oover the reapers 'oo the wench woz un thay tode 'im uz 'er'd cum wi' Naomi frum Moab un ud asked if 'er cud pick up the bits o' grairn wot thay'd left.

Boaz wuz kind ter Ruth un tode 'er 'er needn't goo tew ennyboddy elsiz feeuld 'er cud stop in 'iz'n.

'E tode 'er 'er cud 'ave a drink o' wairter frum the pitcher un all.

Ruth bahd dahn afower Boaz un asked 'im why 'e wuz ser kind tew 'er.

Boaz sed 'e'd 'eard 'ow gud 'er'd bin tew 'er muther-in-law un 'ow 'er'd lef' 'er oon land un rillairshuns ter cum un live amung the childrun uv Israel un sairve the Lord insted o' wairshippin' iyduls like thay did in Moab.

Boaz tode Ruth ter cum ut mayl times un 'ave a birr o' snap wi' the reapers.

Boaz tode 'iz blokes ter let sum grairn fall on a pairpuss forr 'er un not ter find forlt wi' 'er.

Ruth stopped in the feeuld all day un went back ter Bethlehem at nite ter Naomi.

Wen Naomi sid 'ow much Ruth ud bort 'er asked the Lord ter bless the mon worr ud bin ser kind.

Naomi asked Ruth wot the blokes nairm woz. Ruth sed is nairm wuz Boaz. Naomi sed uz Boaz wuz a rillairshun uv 'ern.

Ruth went regler ter the feeuld, rite ter th' end o' the the barley un wayte 'arvist. One day Naomi tode Ruth uz 'er'd 'eard uz Boaz wuz gunna winnow 'iz barley that nite.

Winnowin' it ment it ud gorra be sepurairtid frum the bits o' straw wot wuz lef' after thay'd threshed it.

The reapers yewster throw the grairn up o' th' air wile wind wuz blowin'. The wind ud blow the bits o' straw away un the barley ud drap dahn on the grahnd.

Naomi tode Ruth ter waash un dress 'erself un goo ter the threshin' flewer we'er thay wuz winnowin' the barley un ter goo un tell Boaz uz 'e wuz a rillairshun.

Boaz asked Ruth t' ode 'er vairl aht un 'e powered six meshers o' barley in it.

Ruth tuk the barley back ter Naomi un tode 'er uz Boaz ud sent it forr 'er.

The sittiz o' Canaan 'ad 'igh walls rahnd um wi' grairt big gairts. It was ut theez gairts we'er peeple yewster meet aych uther.

Rewlers yewster 'ode courts theer we'er thay tried fowks worr ud dun rung, un sed wot thayer punishmin ud gorrer be.

Fowks yewster goo un buy un sell things ut the sitty gairts mekkin' a sort o' markit theer.

Wen blokes waantid evvryboddy ter know summut thay'd

gutter the sitty gairts un spake abahrr it cuz theer wuz mower fowks be the sitty gairts thun ennywe'er else.

The day after Boaz ud winnowed 'iz barley 'e went ter the gairt o' Bethlehem un sat dahn on a sayte theer.

'E called th' elduz or principle blokes o' the sitty un asked um ter sit dahn un tode um 'e wuz gunna marry Ruth. Then 'e sed, "Yow lot um the witnissis un ah'm atellin' yer soo uz you con tell evvryboddy else."

Th' elduz ansud, "We'm the witnissis, un thay prayed uz the Lord ud bless Ruth un mek Boaz richer thun 'e alreddy woz."

Soo Boaz un Ruth becum mon un wife. Naomi wuz evver ser playsed abahrr it un wen Boaz un Ruth 'ad a babby son, Naomi nussed it forr um un thay nairmed the babby Obed.

JOB

A BLOKE nairmed Job livved in the land uv Ur.

God gid 'im sevvun sons un thray dorters. God alsoo gid 'im richiz. 'E'd got thray thahz'n camuls, sevvun thahz'n shayp, a thahz'n oxiz, five 'undrud assiz un a gud menny sairvunts—men an' wimmin, soo 'e wuz importunt bloke rahnd abaht weer 'e livved.

Wen 'iz sons ud growed up thay all 'ad thayer oon wums.

Thay yewster ode partiz tekkin it in tairns arr aych uthuz 'owziz un invitid thayer sisters un all.

Wen the faysts wuz oover Job alliz yewster send un tell um uz if thay'd dun ennythin' rung ter goo un ripent.

Job offud bairnt offrin's fer aych uv 'iz kids cuz 'e thort uz thay mite 'a' sinned un anniyed God.

Job enjoyed 'iz blessin's fer menny 'ear un then God sent trubbul on 'im.

God waantid ter see wether Job ud be pairshunt un willin'

fer 'iz 'evv'nly fairther ter dew tew 'im worr 'e thort wuz best.

God let Job's richiz un 'iz childrun be tuk from 'im.

One day one o' Job's sairvunts went tew 'im un sed, "Wiyle yower oxiz wuz plowin' the feeuld un th' assiz wuz 'avvin' a fayde a band o' robbuz cum un drove um off un killed all th' uther sairvunts excep' me."

Wiyle the sairvunt wuz spaykin', anuther sairvunt cum un sed, "A grairt big fiyer fell aht the sky un bairnt all yower shayp an' the sairvunts wot wuz lukkin' after um, un ah'm th' onny one lef' ter tell the tairl."

Wiyle this sairvunt wuz spaykin' anuther one cum un sed, "Yower ennimiz 'uve tuk all yower camuls un killed the sairvunts wot wuz wi' um un ah'm th' onny one lef'."

Then anuther sairvunt cum un sez, "Yower sons un dorters wuz 'avvin' a fayst in the owdist sons 'owse un a strung wind frum the wilderniss cum un blowed th' 'owse dahn on top on um un killed um all.

Wen Job un 'eerd all theez tairls 'e ripped 'iz clooz up un bahed dahn ter th' airth un sed, "Ah'd got nuthin' wen ah cum inter the wairld un ah shull a' nuthin' wen ah goo aht on it. God gid me me childrun un me richiz un nairw 'e'z tuk um all off me aggen.

God knows wot's best fer me un ah waant ter thank 'im fer all the things 'e's dun fer me.

Job day sin nor say 'orrable things abaht God in spiyte uv all 'iz grayf. Ter try Job a bit mower God sent pairn un sickniss tew 'im.

Biyles cum on 'im frum is yed tew 'iz tooz un it day arf mek 'im mizrubble.

Job's missis wuz anniyed cuz God ud sent such alorr o' suffrin' ter Job. 'Er sed, "Dun yow still trust in God? If yow dun yow waant ter knock off dewin it right nairw."

Job ansud un sed, "Yow'm spaykin' like a fewl. Ween 'ad a gud menny gud things frum God un we orter be willin' ter tek a few bad things un all."

Job ud got thray pals un wen thay 'eerd abahrr all 'iz trubble thay went ter try un chayer 'im up a bit.

Wen thay sid 'im Job ud chairnjed that much threw all the trubble 'e'd 'ad thay 'ardly reckenized 'im.

Thay ripped thayer cloos up un sat dahn on the grahnd beside 'im un blartid.

Job's pals thort 'e must a dun summut wickid fer all theez things worr ud 'appund tew 'im.

Thay asked 'im if 'e'd bin crewil ter the pewer or pinched summut or not prayed ter God. Thay tode 'im ter ripent o' worrever 'e'd dun un God ud fergi' 'im.

Job knowed 'e'd dun nuthin' wot wor right un proper, un sed tew um, " Yow reck'n yown cum 'ere tew cumfut me un wot yowm sayin' dow cumfut me at all un ah'd rather yer layve me aloon. Ah day send fer yer ter ask yer t' 'elp me. If yow lot wuz afflicted like ah bin ah cud say yowm wickid burr ah shud spake a bit kinder than yow un try ter mek yer sorrer a bit less."

Job then startid ter spake abahrr 'iz sorrers un sed. " The Lord uz sent grairt trubbul on me un ah wish 'e'd put me ter jeth soo tharr ah wudn't arrer suffer no mower. Wen ah lie dahn ut nite, insted o' gooin ter slayp ahm atossin' un atairnin' in pairn wishin' it wuz mornin'. If ah drap off fer a minnit er tew ah start 'avvin' drayms wot friyt'n me ter jeth soo ah'd rather be jed than alive. Ah wish sumboddy ud spake ter God fower me cuz 'e wo' liss'n ter mah prayers. Ah know thut me sairvyer is livvin' un sum day 'e'll cum on th' airth un ah shull rize aht me grairve un see God fer meself."

Wen Job sid tharr 'e cudn't die or get berrer un 'e'd still gorra bair 'iz pairn 'e startid gerrin impairshunt 'E wuz willin' ter bair 'iz pairns fer a short time burr 'e cudn't wairt til God sid best ter tek um away from 'im.

Job startid ter find fault wi' God un sed 'iz trubbles wuz tew much un God wuz bein' crewil tew 'im.

Job's thray pals un all still kep' tellin' 'im tharr 'e must uv affendid God. Thay sed 'iz trubbles wuz a punishmint fer summat worr 'e'd dun cuz God day punish gud fowks 'e onny punished bad uns.

Job day like 'iz pals gerrin on tew 'im soo 'e startid gerrin on ter them un all un thay wuz all sayin' things wot thay 'adn't ortew a sed.

Wile thay wuz all rantin' un rairvin' thay 'eard a viyse spaykin' aht uv a wairlwind.

It wuz the viyse o' God.

The viyse spoke ter Job tellin' 'im abaht the wundaful wairks God 'ad dun.

It sed it wuz 'im worr ud med th' airth un the say un sky, un sent rairn on the feeulds ter mek the grass un flowers grow.

'E cuvvuz the rivers wi' ice un the grahnd wi' snow un sends liytnin' frum the sky.

'E giz fewd ter the wild baysts un yung bairds wot cry wen thay'm 'ungree.

It's God wot's gid the bewtiful wings ter the paycock un fethers ter th' ostrich.

'E med th' oss wot's swift un strung un not frit jewerin' a war.

Wen oss 'ears trumpits blairin' un captins shahtin' 'e's reddy ter rush inter battle wi' um.

'E lairnt th' eagle ter bild 'er nest on 'igh rocks un fly off tew 'unt fewd fer 'er babbiz.

Wen God ud tode Job o' theez wundaful wairks 'e asked Job if 'e cud dew such things or wether 'e wuz clever anuff ter taych God a few things.

Job then sid 'ow 'e'd sinned in findin' fault wi' God un sed, " Ah bin a wicked mon. Ah've spoke abaht things worr ah dow understond soo ah'm ripentin' o' me sin un bah dahn in the dust afower yer."

God spoke ter Job's thray pals un sed, " Ah'm anniyed wi' yo' lot cuz yo' ay sed wot's rite ter me sairvunt Job in 'iz trubbul, soo ter sairve bein' punished goo un tek sevvun bullucks un sevvun rams un offer um up uz a bairnt offrin', un ask Job ter pray fer yer un ah'l fergi' yer wen I 'ear 'iz prayer.

Thay all did uz the Lord ud tode um un Job prayed forrum un thay wuz fergid.

Afta this the Lord tuk Job's sickniss from 'im un all Job's rillairshuns un frends went ter Job's 'owse fer a fayst.

Evvery mon gid Job a payce o' munee un a gode ear ring.

Then the Lord blessed Job mower than 'e'd dun afower 'e 'ad 'iz trubbuls.

God gid Job twice uz menny richiz. 'E 'ad fowerteen thahz'n shayp, six thahz'n camuls, tew thahz'n oxiz un a thahz'n assiz.

'E alsoo 'ad sevvun sons un thray dorters un thur wor no wimmin uz bewtiful uz Job's dorters in all the land.

After theez things Job lived ter be 'undrud un fowerty 'ear ode.

JONAH

NINEVEH wuz a grairt big sitty.

Theer wuz tempuls, palissiz un 'owziz weer thahz'n'z o' fowks livved.

Theer wuz a gud menny luvvly gardins un alorr o' green feeulds weer the cattle grairzed.

Rahnd the sitty wuz worls 'undrud fut 'igh. Theez worls wuz that thick tharr on the top on um, thray charryuts drawed be ossiz cud be drove side be side.

Towuz wuz bilt abuv the worls all rahnd the sitty.

Theer wuz a thahz'n un five 'undrud towuz un aych one wuz tew 'undrud foot 'igh.

Assyrian sowjuz stud on top o' the worls un in the towuz reddy ter shewt arrers un chuck darts arr ennimiz wot cum ter fite aggin Nineveh.

The fowks wot lived in Nineveh wuz wicked.

God spoke ter Jonah the proffit un sed, "Goo ter the grairt sitty o' Nineveh un tell evvrybody theer iz punishmint cummin' tew um fer thayer sins."

Jonah day waant ter goo soo 'e tuk 'iz uk tew a sitty by the say called Joppa.

'E fun a ship theer wot wuz gooin' tew anutha country soo Jonah payed 'iz fare un gorr on it soo tharr 'e cud goo un find a plairse weer 'e wudn't 'ear the Lord spaykin' tew 'im.

Wile 'e wuz sairlin' on the say the Lord sent a strung wind un theer wuz a big storm un the ship wuz in dairnja o' bein' broke in paysis.

The sairlers wuz all frit un prayed ter thayer iyduls fer 'elp.

Thay chukked sum o' the ship's lood ooverbord ter mek it liyter un try un kayp it frum sinkin'.

Jonah day know abaht the dairnja 'e wuz in cuz 'e'd gone t' 'ave a slayp in the lower part o' the ship.

The ship's captin went un woke Jonah up un sed, "Gerr up un pray ter yower God. P'raps 'e'll tek pity on we un sairve we frum perishin'."

The sairlers sed thut the storm ud bin sent cuz sumboddy on the ship ud dun summut wickid.

Thay sed, "Let we cast lots ter find aht oo it is."
Thay cast lot un the lot drapped on Jonah.
The sairlers asked 'im worr 'e'd dun un we'er 'e'd cum from.
Jonah ansud, "Ah'm 'eebrew un ah'm tryin' ter gerr away frum the Lord wot med the say un the dry land cuz ah dow waant t' 'ear 'iz viyse spaykin' ter me."
The sairlers wuz still frit cuz the ship wuz bein' tossed abaht be the tempist un thay asked Jonah wot thay shud dew ter mek the say calm aggen.
Jonah sed, "Pick me up un chuck me ooverbooerd inter the say cuz ah know it's mah forlt uz this's 'app'nd."
The blokes day waant ter chuck 'im in the say soo thay rowed uz 'ard uz thay cud ter try un get the ship ter dry land but thay cudn't.
Jonah ud tode the sairlers abaht God soo thay prayed un sed, "O Lord we'm askin' yer not ter punish we fer slingin' Jonah in the say."
Then thay gorr 'ote o' Jonah un chucked 'im inter the wairter un the say growed still un calm.
It med the sairlers wunder a bit, soo thay offud a sacrifice ter the Lord un promissed ter sairve 'im.
The Lord sent a grairt big fish ter the side o' the ship ter swoller Jonah uz sewn uz 'e wuz chucked in the say.
Jonah wuz inside the fish fer thray days un thray nites.
'E confessed 'iz sins un prayed ter the Lord wile 'e wuz inside the fishis bally.
God 'eard Jonah un corzed the fish ter cuff 'im up onter the dry land.
The Lord spoke ter Jonah aggen un sed, "Goo un gurrer Nineveh un praych ter the peeple the wairds worr ah'm gunna tell yer."
Jonah went ter Nineveh un got ter the middle o' the sitty un bawled aht uz lahd uz 'e cud, "After fowerty days Nineveh shull be distriyed fer the sins o' the peeple."
Wen the King o' Nineveh un the peeple 'eard this thay billeeved God ud sent Jonah un the wairds 'e spoke ud cum trew.
The king gorr up frum 'iz throon un tuk off 'iz riyal cloos un purr a sackcloth on.
The king un 'iz princiz sent waird threw the sitty sayin' all the peeple shud fast.

Thay sed that neether men nor baysts must 'ave ennythin' t' ate or drink un evvryboddy ud gorra cuvver umselves up wi' sackcloth. Thay'd gorra pray un stop bein' wickid un then the Lord mite fergi' um un wudn't let um perish.

Wen God sid the peeple dew all this 'e wor anniyed no mower un day distriy the sitty.

Jonah wor verry playzed mind yer.

'E waantid Nineveh ter be distriyed cuz the peeple wot livved theer wuz ennamiz o' the childrun uv Israel.

Jonah thórt evvryboddy ud loff at 'im un call 'im a forlse proffit.

'E spoke ter the Lord un sed, "Ah knowed yow wudn't distriy the sitty, that's why ah tuk me uk the fust time soo's ah wudn't 'ear yer spaykin' ter me. Nairw will yer put me ter jeth cuz ah'd rather be jed thun alive."

The Lord spoke nice ter Jonah un asked 'im not ter be soo anniyed.

Jonah wudn't stop in Nineveh un went tew a plairse ahtside the sitty un med 'izself a shelter theer.

The Lord med a gourd grow in the nite oover Jonah's shelter un the layves shairdid 'iz yed.

God then sent a wairm t' ate the rewt o' the gourd un it died.

In the mornin' God sent 'ot wind on Jonah un the sun shone on 'iz yed un it med 'im fayl sick un 'e fairntid un wished 'e wuz jed.

God spoke ter Jonah un sed, "Am yow angree?"

Jonah ansud, "Yes ah bin!"

God sed, "Yow'm angree cuz ah've distriyed the plant wot wuz onny a vine wot growed un died the sairme nite. You wanted me ter distriy the grairt sitty o' Nineveh we'er thuz mower thun a thahz'n little children worr ay ode anuff ter tell thayer rite 'onds frum thayer left."

God lairnt Jonah worr a selfish bloke, 'e woz fer wishin' fer Nineveh ter be distriyed jus' cuz 'e wuz frit o' bein' loffed at un called a forlse proffit.

THE FIRST BOOK OF SAMUEL

(Chapters 1—6)

THUR wuz a bloke o' the childrun uv Israel nairmed Elkanah un 'iz missiz wuz nairmed Hannah.

Thay livved in the sitty o' Ramah un went evvry 'ear t' offer up a sacrifice in the tabbunackle ut Shiloh.

Elkanah thort alorr uz 'iz missiz un gid 'er a prez'nt evvry time 'e went t' offer 'iz sacrifice.

Hannah wuz full o' mizree tho' cuz 'er waantid a babby.

One 'ear wen thay went ter Shiloh 'er prayed wile 'er wuz in the tabbunackle.

'Er asked the Lord ter lerr 'er 'ave a son un wen 'er'd 'ad 'im 'er'd gi' 'im back tew 'im.

'E'd be a Nazarite un kep' ter sairve the Lord all the days uv 'iz life.

'Er wuz blartin wile 'er wuz prayin'.

Eli wuz th' 'igh prayst un sid Hannah's lips mewvin' but cudn't tell worr 'er wuz sayin' un thort 'er wuz boozed up.

Eli sed tew 'er, " 'ow lung an yow bin a boozer?"

Hannah sed, " I ay a boozer, un I ay 'ad nuthin' ter drink. Ah've bin prayin' ter the Lord fer summut."

Eli sed, " Goo in payse un I 'ope God'll gi' yer wot yow waant."

Elkanah un Hannah went back ter Ramah.

The Lord rimmembud Hannah's prayer.

'Er ad a son un 'er nairmed 'im Samuel wot mayns asked uv God.

Wen it cum time fer Elkanah ter gutter Shiloh aggen Hannah wudn't goo wi' 'im.

'Er sed 'er'd wairt till Samuel wuz a bit bigger un then 'er'd tek 'im ter stop theer fer gud.

Wen Samuel ud growed a bit' er tuk 'im ter the tabbunackle un 'er un Elkanah offud a bulluck uz a sacrifice.

Thay tuk Samuel tew Eli un Hannah sed, " Ere you bin. Ah'm the wummun wot stud by yow prayin'. Ah wuz aprayin' fer this little son un the Lord gid me worr I asked fower.

Ah waant ter gi' 'im back ter the Lord soo's 'e con sairve 'im uz lung uz 'e lives."
'Er lef' Samuel ter stop wi' Eli ut the tabbunackle.
Eli ud got tew sons. One wuz nairmed Hophni un th' uther wuz nairmed Phinehas. Thay wuz praysts ut the tabbunackle.
Hophni un Phinehas wor uz 'oly uz thay shud a bin. Thay wuz a pair o' wickid uns.
Wen fowks went tew offer payse offrinz Hophni un Phinehas yewster ter tek mower thun thayer fair share on um.
Alorr o' fowks stopped gooin' ter the tabbunackle wi' thayer offrinz becuz o' this pair.
Elkanah un Hannah still yewster goo t' offer thayer sacrifice evvry 'ear un Hannah yewster tek Samuel a noo coot worr 'erd med forr 'im.
Eli wuz gerrin ode un 'e 'eard abaht th' ayvil things 'iz sons did un 'e day like it.
A proffit frum the Lord visitid Eli un asked 'im why 'e allahed 'iz sons ter tek the bes' parts o' the offrinz wot the peeple tuk.
The proffit tode Eli thut the Lord day waant 'im fer 'iz 'igh prayst enny lunger cuz uv the way 'e allahed 'iz sons ter carry on, soo 'e wuz gunna chewse anuther mon.
The proffit sed uz bewth Eli's sons ud die in one day.
Samuel stopped theer ut the tabbunackle dewin' uz 'e wuz tode be Eli.
One nite wile Samuel wuz in bed 'e 'eard a viyse callin' 'im un 'e ansud, " 'ere ah bin."
'E gorr up un went tew Eli cuz 'e thort it wuz Eli worr ud called 'im.
Eli sed, " Ah day call yer mah lad. Goo un goo back ter bed."
Samuel 'eard the viyse aggen soo 'e went tew Eli un sed, " Yow did call me cuz I 'eard yer."
Eli tode 'im ter goo back ter bed aggen.
Wen Samuel 'eard the viyse the thaird time 'e went tew Eli un sed, " Ere ah bin, yow did call me day yer?"
Eli guessed it wuz the Lord callin' Samuel un sed, " Goo un lie dahn aggen un if yow 'ear sumboddy call yer aggen all yow'n gorra say iz, spake Lord, yower sairvunt con 'ear yer."

Samuel went back ter bed un 'eard the viyse aggen sayin', " Samyewul—Samyewul."

Samuel sed, " Spake Lord, yower sairvunt con 'ear yer."

The Lord tode Samuel 'e wuz gunna dew summut worr ud mek evvrybody frit. 'E wuz gunna punish Eli un 'iz sons cuz 'iz sons did wickid things un Eli nevver stopped um.

It day marrer if thay offud sacrificiz un bairnt offrinz fer thayer sins the Lord wor gunna liss'n tew um nor fergi' um.

Wen the Lord ud finished spaykin' Samuel lied still till the nex' mornin' un then gorr up tew opun the dewers o' the tabbunackle.

'E day waant ter tell Eli wot the Lord ud sed burr Eli waantid ter know soo Samuel tode 'im.

Wen Eli 'eard wot the Lord ud sed 'e sed, " The Lord will arrer dew worr 'e thinks best cuz ah dizairve ter be punished."

Samuel growed up un the Lord blest 'im. Evvryboddy knowed uz Samuel ud bin picked aht ter be a proffit.

The wairds wot the Lord ud spoke ter Samuel cum trew.

The childrun uv Israel went ter fiyte the Philistines un med thayer camp urr a plairse called Ebenezer.

The Philistines med thayer camp ut Aphek un thay killed abaht fower thahz'n blokes uv Israel.

Wen th' armee uv Israelites went back ter thayer camp after the scrap th' elduz wunderd why the Lord ud allahed ser menny on um ter be killed.

Thay sed, " Let's bring th' ark aht the tabbunackle ter sairve we frum we ennamiz."

Hophni un Phinehas wuz amung the blokes wot went ter get th' ark frum Shiloh.

Wen it arrived ut the camp evvryboddy rejiyced un shahtid fer jiy.

The Philistines 'eard the niyze the Israelites wuz kickin' up un sed, " Wot's all that niyze abaht wot's cummin frum th' 'eebrews camp?"

Wen the Philistines 'eard abaht th' ark bein' in the camp thay wuz frit un sed, " Let's be strung un fiyte like brairve blokes cuz we ay gooin' ter be slairves ter th' 'eebrews."

Thay went un 'ad anuther goo ut the blokes uv Israel un killed anuther thairty thahz'n on um.

Thay tuk th' ark un Hophni un Phinehas wuz killed un all.

A bloke frum th' armee run ter Shiloh.

'E'd ripped 'iz cloos up un purr airth on top ux 'iz yed ter show uz 'e wuz grayvin' abaht summut.

Eli sat on a sayt be the way-side. 'E wuz wurried ter jeth abaht th' ark un wuz wairtin' fer noos on it.

The bloke went inter the sitty un tode the peeple thut th' ark wor theer ennymower un it med um all frit.

Eli 'eard um un sed, "Wot's all this niyze abaht?"

Eli wuz evver s' ode un 'iz eyes ud growed dim wi' airj.

The bloke wi' the siyle on top uv 'iz yed went tew Eli un tode 'im uz 'e'd run away frum th' armee.

'E tode Eli thut the Philistines ud killed a gud menny o' the blokes uv Israel.

'E alsoo tode 'im tharr 'iz tew sons ud bin killed un th' ark o' God ud bin tuk away.

Wen the bloke tode Eli abaht th' ark Eli fell off 'iz sayt backuds onter the grahnd un 'iz neck broke un 'e died.

Eli wuz not onny th' 'igh prayst but juj oover the childrun uv Israel fer fowerty 'ear un all.

The Philistines tuk th' ark un cartid it ter one o' thayer sittiz called Ashod we'er thay 'ad 'owse fer thayer iydul wot wuz nairmed Dagon.

Thay tuk th' ark inter th' 'owse o' Dogan un purr it dahn be th' iydul un left it theer all nite.

Wen thay went inter Dagon's 'owse airly nex, mornin' thay fun thut th' iydul ud fell on it fairse on the flewer afower th' ark.

Thay liftid it up un purr it back in its plairse un left it theer anuther nite.

Nex' mornin' thay fun Dagon ud fell dahn aggen but this time its yed un 'onds wuz chopped off.

After this a dizayze spred amung the peeple un a gud menny on um died.

Thay thort it wuz best that th' ark shudn't stop theer enny lunger cuz thay wuz shewer God ud sent the dizayze un throwed thayer iydul dahn.

The peeple called all the lords o' the Philistines tergether un sed tew um, "Wat shull we dew with th' ark o' the God uv Israel?"

Thay ansud, " Lerr it be carrid ter Gath."

Gath wuz anuther o' the Philistines sittiz.

Thay carrid th' ark ter Gath un a dizayze spred amung the peeple o' that sitty un all.

The Philistines kep' th' ark fer sevvun munths un jooerin' that time the Lord sent trubbul on um.

The peeple called fer thayer wiyze blokes un asked 'ow it shud be sent back tew Israel cuz thay wuz frit ter kayp it enny lunger.

Insted uv 'ossiz drawin' carts theer, cows yewster drawrr um.

The wiyze blokes tode the Philistines ter mek a noo cart un ter tek tew cows away frum thayer calves un tie um ter the cart.

Thay sed the peeple shud put th' ark on the cart un let the cows tek it weerevver thay'd a mind tew wi' aht enny-boddy giydin' um.

If the cows tuk off frum weer thay livved un frum thayer calves intew Israel it ud show thut the Lord ud med um goo theer, un wuz anniyed wi' the Philistines fer kaypin' th' ark, un the trubbuls thay'd 'ad wuz a punishmint.

If the cows day tek th' ark tew Israel it ud show thut the Lord day waant it sent back un 'e 'adn't sent trubbul tew um. Thayer trubbuls ud 'appn'd fer no rayz'n.

The Philistines did wot the wiyze men sed.

They med a noo cart un tide tew cows tew it un shut thayer calves up at wum.

Thay put th' ark on the cart un let the cows lewse.

The lords o' the Philistines follered ter see we'er thay went.

Uz sewn uz the cows wuz let lewse thay went strairt tew Israel lowin' uz thay went un went tew a sitty called Beth-shemesh.

The childrun uv Israel wot lived theer wuz reapin' thayer whayte 'arvist in the valley near the sitty. Wen thay lukked up un sid th' ark thay day arf rijiyse.

The cows tuk it intew a feeuld billungin a bloke nairmed Joshua un thay stud still be the side uv a grairt big stoon wot wuz theer.

Sum blokes o' the tribe o' Levi cum un liftid th' ark frum the cart un purr it on the stoon.

Thay chopped the cart up fer fiyer wood un killed the cows fer bairnt offrinz.

The Levites tuk care o' th' ark cuz God ud sed tharr it wuz onny them wot shud tek care on it, un if ennyboddy else meddled wi' it thay'd be put ter jeth.

The blokes o' Beth-shemesh disserbayed God. Thay waantid ter si' th' ark un went un lukked inside it, un menny on um died fer thayer sin.

Th' ark wuz tuk tew a sitty called Kirjath-jearim tew 'owse billungin' a bloke nairmed Abinadab un it stopped theer a gud menny 'ear'.

THE FIRST BOOK OF SAMUEL

(Chapters 7—12)

AFTER Eli wuz jed the Lord med Samuel juj.

'E livved ut Ramah we'er 'iz muther un fairther yewster live.

Samuel bilt altar theer soo's 'e cud offer sacrifiysiz.

The childrun uv Israel kep' on sinnin' un wairshippin' thayer iyduls Baal un Ashtaroth.

Samuel spoke ter the childrun uv Israel un sed, "If yow'l purr away them iyduls un sairve the Lord 'e'l prutect yer frum the Philistines."

The peeple abbayed Samuel.

'E sed tew um, "All on yer cum wi' me ter the sitty o' Mizpeh un ah'l pray fer yer."

Thay all went ter Mizpeh un cunfessed thayer sins un sed, "We'n sinned aggin the Lord."

The Philistines 'eard th' Israelites wuz ut Mizpeh soo thay went ter fiyte um.

Th' Israel blokes wuz frit un sed ter Samuel, "Kayp on prayin' fer we un ask God ter sairve we."

Samuel offud a young lamb us a bairnt offrin' un prayed fer the peeple un the Lord 'eard 'im.

Wile Samuel wuz offrin' the lamb the Philistines cum t' 'ave a goo ut th' Israelites but the Lord sent 'evvy storm wi' thunder un liytnin' un thay wuz that frit thay tuk thayer uk's.

Then the blokes uv Israel cum aht o' Mizpeh un chairsed the Philistines un killed a gud menny on um.

The Lord gid th' Israelites the victree.

Samuel serr up a stoon ut the plairse we'er the Lord 'elped um un called it Ebenezer wot mayns "The Stoon uv 'elp".

Wen Samuel ud growed ode 'e med 'iz tew sons jujiz t' 'elp 'im rewl the land.

Thay wor 'onnist like thayer fairther woz tho'.

If tew fowks 'ad argewmint thay'd gurrer Samuel's tew sons forr um ter dissiyde wich one on um wuz rite.

Samuels' sons ud say uz the one wuz rite wot payed um.

Th' elduz uv Israel went ter Samuel ut Ramah un tode 'im abahrr 'iz sons tekkin' bribes.

They alsoo asked Samuel ter chewse a king forr um.

Samuel day like th' idea on um waantin' a king soo 'e prayed ter the Lord askin' 'im ter tell 'im wot ter dew.

The Lord tode Samuel ter tell um uz a king ud be crewil tew um.

Samuel tode the men uv Israel thurr a king ud tek thayer sons ter drive 'iz charryuts un wairk in 'iz feeulds.

'E'd tek thayer dorters ter be cuks un bairkers in 'iz kitchin.

'E'd tek the best o' thayer lands un vinyards un gi' um t' ennyboddy 'e'd a mind tew.

'E'd tek thayer cattle un shayp un all.

If thay cried ter the Lord fer the trubbul the king bort tew um the Lord wudn't liss'n.

But the peeple ud med thayer minds up un sed, "We waant a king like all the' uther nairshuns soo's 'e con rewl we un goo wi' we ter fite we battles."

The Lord cummarndid Samuel ter dew wot thay waantid un chewze a king forr um.

One o' the blokes uv Israel wuz nairmed Kish un 'e'd gorr a son nairmed Saul.

Saul wuz a nice yung mon un 'e wuz gud lukkin' un all. 'E wuz taller thun enny o' th' uther blokes.

Saul's fairther lost 'iz assiz un asked Saul ter tek one o' the sairvunts un goo un luk forr um.

Saul tuk a sairvunt un thay went a lung way ter luk forr um but cudn't find um.

Saul sed, "Cum on, let's goo back wum else me fairther ull be wurryin' we'er we bin."

By this time thay wuz near a sitty un the sairvunt tode Saul uz 'e'd 'eard abahrr a bloke wot livved in the sitty wot wuz a proffit un evvrythin' 'e sed cum trew.

The sairvunt sed, "Let's goo un ask 'im if 'e knows we'er th' assiz bin."

Saul un 'iz sairvunt went ter find the proffit — it wuz Samuel.

Thur wuz ter be a payse offrin in the sitty on this patikla day.

Wile Saul un 'iz sairvunt wuz gooin' up the bonk ter the sitty thay met some yung wenchiz wot wuz gooin' ter draw sum wairter soo thay asked theez wenchiz if the proffit wuz theer. The wenchiz tode um uz the proffit ud cum that day ter the fayst.

Uz sewn uz thay got ter the sitty Samuel met um.

The Lord ud tode Samuel uz 'e'd be sendin' a bloke that day wot shud be the King uv Israel.

Wen Samuel sid Saul the Lord sed ter Samuel, "This is the bloke ah tode yer abaht."

Saul day know Samuel o' course un 'e went ter Samuel un sed, "cost tell me we'er the proffit's 'owse iz?"

Samuel sed, "Ah'm the proffit."

'E tode Saul ter bring the sairvunt un cum ter the fayst. 'E tode um ter stop fer the wull day un goo back wum the nex' day.

Samuel sed, "Un yow con stop thinkin' abaht them assiz cuz yer fairther's fun um."

Samuel tuk Saul un the sairvunt ter the parler un gid um the bes' plairsis ter sit amung all th' uther fowks worr ud bin inviytid ter the fayst.

Samuel asked the cuk ter bring the fewd aht worr ud bin sairved speshul.

The cuk bort the fewd un purr it in frunt o' Saul.

Samuel tode Saul ter gerr on un ate it cuz it ud bin sairved forr 'im.

Saul stopped wi' Samuel all day.

Thay all gorr up airly the nex' mornin' un Samuel tuk Saul onter the rewf o' th' 'owse we'er thay cud be by umselves t' 'ave a talk.

Then Samuel went wi' Saul terwards the sitty gairts.

Wile thay wuz walkin' Samuel sed ter Saul, "Tell yower sairvunt ter goo on in frunt burr ah waant yow ter stand still a minnit cuz the Lord's tode me ter dew summut tew yer.

Wile the sairvunt wuz walkin' on in frunt Samuel gorr a bottle uv iyle un powerd it on top o' Saul's yed un anniyntid 'im.

Samuel anniyntid Saul soo's 'e'd be king oover the childrun uv Israel cuz the Lord ud tode 'im ter dew it.

Noboddy else knowed abahrr it mind yer. The Lord day waant ter let the fowks know til Saul wuz picked aht aggen ter be thayer king afower evvrybody.

Samuel asked evvrybody ter gurrer Mizpeh wi' 'im un a king ud be theer worr ud rewl oover um.

Evvryboddy went ter Mizpeh. Thay cudn't see a king soo thay asked weer the king woz.

The Lord tode um uz the king wuz iydin'.

The fowks run rahnd lukkin forr 'im un fun 'im.

Thay bort 'im aht un 'e stud yed un showduz 'igher thun everybody else.

Samuel sed, "This is the mon wot the Lord's puck aht ter be yer king."

The fowks all shahtid, "God sairve the King."

Samuel tode evvryboddy abaht the kingdom un 'ow Saul shud rewl oover um un rit it all dahn in a book. Then Samuel sent evvrybody wum un Saul went back tew 'iz own wum in the sitty o' Gibeah.

After this lot th' Ammonites cum ter fiyte aggin the sitty o' Jabesh-gilead.

The blokes uv Israel wot livved theer wuz frit un promised tharr if th' Ammonites ud trayte um right thay'd be thayer sairvunts.

Th' Ammonites wor gunna be tode wot ter dew be ennyboddy un sed thay'd tek evvry mon un poke thayer right eyes aht un then thay'd goo un swank abaht it tew all th' uther fowks.

Wen the blokes uv Jabesh-gilead 'eerd this thay asked th' Ammonites ter gi' um sevvun days soo thay cud send messijiz ter thayer rillairshuns in th' uther parts o' the land.

If noboddy cum t' 'elp um thay promised thay'd gerr aht the sitty un let th' Ammonites dew wot thay waantid tew.

Thay sent messinjuz ter Gilbeah weer Saul lived.

The messinjuz tode the peeple wot th' Ammonites ud sed un evvryboddy startid blartin'.

Wile thay wuz all blartin' Saul come wi' 'erd o' cattle frum the feeuld un sed, "Wot's up, Wot yer all blartin' for?"

The folks tode Saul the news wot the messinjuz ud bort.

Saul gorr 'ode o' tew oxiz un cut um up.

'E sent paysis uv ox threw all the land uv Israel sayin', "Them on yer wot dow cum ter fiyte th' Ammonites ull a' the sairme dun tew 'iz oxiz."

Wen thay 'eard wot Saul sed, mower thun thray 'undrud thahz'n men went ter Saul.

Airly nex, mornin' Saul led um aht t' 'ave a goo ut the Ammonites un thay killed a gud menny on um.

Th' Ammonites wot wor killed tuk thayer uks un thay becum soo scattud no tew on um wuz lef' tergether un the childrun uv Israel rejiysed oover thayer victree.

Then Samuel spoke ter the peeple un sed, "Yow asked me ter gi' yer a king un 'e now stonds afower yer. Arm ode un gray yeddid now. Arn bin wi' yer since ah wuz a little un, un yow know all uz arn dun fer yer.

Since arn bin juj, 'ave I evva tuk ennythin' billungin' anuther mon? 'Ave ah bin wicked or crewil t' ennyboddy or tuk enny bribes? If arn dun enny o' theez things arl nairw gi' yer back wot dow billung me."

The peeple ansud, "Dow talk saft. Yow'n alliz bin fair ter we, nor tuk bribes or ennythin' wot day billung yer."

Samuel tode um 'e'd bin wicked fer askin' fer a king, cuz the Lord wuz thayer king un thay shudn't awaantid anuther un.

Samuel sed, "Nairw all on yer stond still un see wot the Lord ull dew afower yer eyes.

"It's 'arvist time now un we ay 'ad no rairn.

"Arl call ter the Lord un 'e'l sen a storm o' thunder un rairn un mek yer fayl 'ow much yown all affendid 'im."

Samuel called ter the Lord un 'e sent thunder un rairn un it med evvryboddy frit o' the Lord un Samuel.
Thay begged o' Samuel ter pray forrum soos thay wudn't die.
Samuel spoke kind tew um un tode um not ter be frit. Thay'd sinned but tode um if thay abbayed the Lord 'e'd fergi' um un tek care on um cuz 'e'd puck um aht ter be 'iz peeple.
If thay wuz wickid un day abbay 'im all the lorron um un thayer king ud be distriyed.

THE FIRST BOOK OF SAMUEL

(Chapters 13—16)

WEN Saul ud bin king fer tew 'ear 'e picked thray thahz'n blokes ter be sowjuz.
Saul wuz the captin oover tew thahz'n on um un iz son Jonathan wuz captin o' th' other thahz'n.
Sum Philistines cum tew Israel un Jonathan fort aggin um.
Then the Philistines gorr a big armee tergether un cum wi' thahz'ns o' charryuts un ossmen.
Wen th' Israelites sid this lot thay wuz frit un 'id in cairves un thick bushiz.
Thay 'id amung rocks un on the mahntins un in pits in the grahnd.
Sum on um tuk thayer uks oover Jordan ter Gilead weer the tew un arf tribes livved.
The few wot wuz lef' follered Saul but thay wuz frit un all.
Saul got ter Gilgal cuz Samuel ud promised ter mayte 'im theer un ud asked 'im ter wairt forr 'im.
Samuel wuz gunna offer up a bairnt offrin' un a payse offrin' un then tell Saul worr 'e'd gorra dew.

Saul wairted fer sevvun days un thur worr no sign o' Samuel soo 'e offered up the bairnt offrin' 'izself.

Uz sewn uz 'e'd dun it Samuel arrived un Saul went ter mayte 'im.

Samuel sed, " Wot'n yer dun?"

Saul startid mekin' excewsiz fer offrin' up the sacrifiyse un sed 'e day waant ter wairt enny lunger in cairse the Philistines cum.

Samuel tode Saul 'e'd dun rung be dissabbayin' the Lord.

The Lord wudn't lerr 'im be king ennymower un ud be chewsin' anuther bloke insted.

'E day mayn strairt away, burr 'e sed it wuz bahnd t' 'app'n sewner or lairter.

Saul cahntid the peeple wot wuz wi' 'im un fun thur wuz abaht six 'undrud.

Saul un Jonathan got ter the sitty o' Gibeah but the Philistines ud gone ter Michmash.

The childrun uv Israel ud bin the sairvunts o' the Philistines fer a lung time.

The Philistines wudn't let the childrun uv Israel 'a' sords or spayers in cairse thay startid fiytin' aggin um.

The Philistines ud sent all the smiths aht the land in cairse thay med ammyernishun fer the childrun uv Israel.

Wen the day cum uz the battle un gorra start thur wuz onny Saul un Jonathan worr ud got sords.

In them days the sowjuz wore sewts uv armer med uv iyun or bross.

Thay carrid shayulds med o' strung booerds cuvvud up wi' oxiz skins.

Thay yewster ode the shayulds up afower um wile thay wuz afiytin soo that th' ennamiz darts un arrers wudn't woond um.

Saul's son Jonathan wore armer un 'e 'ad a sowjer ter carry 'iz shayuld un spayer forr 'im wen 'e day waant ter yewse um.

This sowjer wuz called 'iz armer-bairer.

The Philistines camp wore fare frum the childrun uv Israel's camp.

Jonathan asked 'iz armer-bairer ter goo wi' 'im ter the Philistines camp.

Jonathan thort the Lord ud 'elp um even if the Philistines 'ad gorr a big armee.

The armer-bairer sed 'e wuz willin' ter goo un Jonathan tode 'im uz this wuz the way thay'd know whether the Lord intendid 'elpin' um.

Thay'd goo un stand weer the Philistines cud see um.

If the Philistines called tew um un tode um ter wairt theer thay naydn't goo enny fairther cuz the Lord wor gunna 'elp um.

If the Philistines asked um ter goo ter them thay'd goo un the Lord ud gi' um the victree.

Jonathan un 'iz armer-bairer went un stud weer the Philistines cud see um.

The Philistines startid loffin' at um un sed, "Luk at th' 'eebrews cummin' aht th' 'oles weer thay'n bin 'iydin'. Cum oover 'ere ter we un we'll show yer summat."

Jonathan un 'iz armer-bairer went ter the Philistines camp un thay cliymed over rocks on thayer 'onds un knays ter get theer.

Thay got ter the Philistines camp un startid fiytin' un thay killed abaht twenty blokes.

The Lord med th' airth shairk under um un the Philistines wuz frit ter jeth.

Saul un the blokes wot wuz wi' 'im day know wot Jonathan ud dun.

Saul's waatchmon lukked aht terwards the Philistines camp un sid all this fiytin' gooin' on un tode Saul.

Saul cahntid 'iz blokes ter try un find aht which on um ud gone ter fiyte the Philistines un 'e nowtissed uz Jonathan un 'iz armer-bairer wuz missin'.

Saul un 'iz blokes went ter jiyne in the battle.

Alorr o' them wot wuz frit un ud bin 'iydin in the mahntins follered un all.

The Lord 'elped the childrun uv Israel un the Philistines tuk thayer uk's.

Mind yer ,the blokes uv Israel did a birr o' suff'rin' umselves that day cuz Saul purr 'iz fut dahn. 'E sed noboddy cud 'ave ennythin' t' ate until nyte time.

'E waantid evvryboddy ter kayp on gooin' after thayer ennamiz, so noboddy day a' no time ter tairste ennythin'.

Thay cum tew a wood weer 'unny wuz drappin' on the grahnd frum a wiylde bees nest in a tree.

Althoo evvryboddy felt uz thay wuz starvin' ter jeth thay wuz frit ter tuch it.

Jonathan day know worr 'iz fairther ud sed.

'E'd gorr a stoff in 'iz 'ond un dipped th' end on it inter th' 'unny-cum un purr it in iz mahth.

Wen Saul 'eerd abahrr it 'e worr 'arf anniyed.

'E sed ter Jonathan, " Yow'l die fer dewin' that."

Saul wud 'a'a killed 'im theer un then but the peeple sed, " Shewerly yow ay gunna kill Jonathan bin yer. It's 'im wot's cauzed we ter gairn the victree."

Thay playdid wi' Saul not t' 'airt 'im.

Samuel tode Saul uz the Lord rimembud the wickidniss o' th' Amalekites wen thay fort the childrun uv Israel wen thay cum aht uv Egypt.

Samuel sed uz the Lord waantid Saul t' 'ave a goo ut th' Amalekites un polish the lorr on um off an' all thayer cattle.

Nuthin' wuz ter be left on um or ennythin' billungin' um.

Saul gorr a big armee tergether.

Mower thun tew 'undrud thahz'n blokes went tew 'ave a goo ut th' Amalekites.

Thay killed all on um excep' thayer king.

Thay kep' the best o' the cattle un distriyed the rest.

The Lord wuz anniyed wi' Saul un sed ter Samuel, " Ah dow arf rigret mekkin Saul the king cuz 'e ay abbayed me cummarndmints."

Wen the battle wuz oover Samuel un Saul met.

Saul sed, " Ah'n dun evvrythin' the Lord waantid me tew."

Samuel 'eerd shayp blaytin' un cahs mewin', them wot Saul ad tuk frum th' Amalekites.

Samuel sed, " Well, wot um them animuls mekkin' nyiziz fower?"

Saul med excewsiz sayin' thay'd bin kep' aliyve tew offer uz sacrifysiz.

Samuel asked Saul worr 'e thort the Lord waantid. Wor it better tew abbay the Lord's instrucshuns thun offer sacrifiysiz?

" It's better tew abbay thun offer sacrifiysiz," Saul sed.

Ter dew wot the Lord day waant wuz uz bad uz wairshippin' iyduls.

Samuel tode Saul aggen thut cuz 'e'd disabbayed the Lord, the Lord wudn't lerr 'im be king fer much lunger.

God tode Samuel ter goo ter the sitty o' Bethlehem tew

a bloke nairmed Jesse un anniynt one o' Jesse's sons ter be king.

Samuel asked, "Ow can ah goo? If Saul 'eers on it 'e'l kill me."

The Lord sed, "Tek 'effer t' offer up uz a sacrifiyse theer un ask Jesse ter cum ter the sacrifiyse."

The Lord sed 'e'd show 'im worr 'e'd gorra dew after.

Samuel did uz'e wuz tode.

'E went ter Bethlehem un gorr' iz sacrifiyse reddy un then asked Jesse un 'iz sons ter cum ter th' offrin'.

Samuel thort Jesse's owdist son wuz the one ter be king but the Lord tode 'im uz 'e wor the one.

Jesse called another son burr 'e wor the one niyther.

Jesse got sevvun uv 'iz sons ter walk afower Samuel but Samuel sed the Lord day waant enny o' them.

Samuel sed, "An yer gorr enny mower sons?"

Jesse sed, "Thuz onny one lef' — the babby — 'e'z me yungist burr 'e'z lukkin' after me shayp."

Samuel sed, "Let's 'ave a luk arr 'im un the lad wuz bort afower Samuel.

'E'd bin aht in the feeulds un wen 'e cum un stud afower Samuel 'e'd got luvvly roosy chayks un wuz 'ansum lukkin' chap.

The Lord spoke ter Samuel un sed, "Gerr up un anniynt 'im — 'e'z the bloke yow'm lukkin' fower.

Saul powered iyle on top o' the yung chap's yed un anniynted 'im afower 'iz fairther un bruthers.

The bloke uz the Lord ud puck ter be King uv Israel wuz nairmed David.

'E 'adn't gorra be king strairt away tho'. 'E'd gorra wairt until the Lord ud finished wi' Saul fust.

After David ud bin anniynted the Lord sent 'iz 'oly spirit inter David's 'art ter mek 'im gud un wiyze un 'e tuk 'iz spirit away frum Saul.

Thur ay onny gud spirits wot sairve God, thuz bad uns un all wot sairve Satan.

One o' theez bad spirits gorr inter Saul un day arf torment 'im.

Saul's sairvunts tode 'im ter luk fer a mon wot cud play 'arp soo's wen th' ayvil spirit tormented 'im the bloke cud play th' 'arp un th' ayvil spirit ud goo.

Saul tode 'iz sairvunts ter goo un find a bloke wot cud play 'arp well.
One o' the sairvunts sed 'e'd sin a mon wot cud play th' 'arp luvvly.
'E wuz one o' the sons o' Jesse frum Bethlehem.
It wuz David 'e wuz on abaht cuz David wuz a bostin' 'arp player.
Saul sent messinjuz ter Jesse askin' 'im ter send David 'iz son wot kep' shayp.
Jesse gorr a donkey un loodid it wi' bred, a bottle o' wine un a kid un sent um wi' David ter gi' Saul fer a presunt, burr 'e day let Saul know abaht Samuel anniyntin' David ter be king.
David went ter live wi' Saul un wairtid on 'im un Saul liked 'im.
Wen th' ayvil spirit startid ter trubble Saul, David gorr 'iz 'arp aht un played swayte mewzik wot cumfutid Saul un th' ayvil spirit left 'im.
Sum time lairter David lef' Saul ter goo back tew 'iz oon wum.
Saul ud gorr a gud menny sairvunts un 'e sewn fergorr all abaht David.

THE FIRST BOOK OF SAMUEL

(Chapters 17—20)

THE Philistines gorr a grairt big armee tergether ter goo un fiyte aggin Israel.
Saul un the blokes uv Israel got reddy fer the battle un all.
The Philistines camp wuz on one side uv a mahntin un the childrun uv Israel camp wuz on the side uv anuther mahntin un thur wuz a valley bitween um.
In the Philistines camp thur wuz a jiyunt nairmed Goliath

uv Gath. On 'iz yed 'e'd gorr 'elmit med o' bross un 'e wor a coot uv armer. Paysis o' bross cuvvud 'iz legs soo's no sord or spayer ud wewnd 'im.

'E went inter the valley bitween the tew armiz weer the blokes uv Israel cud see 'im.

'E startid bawlin', "Cum on yow lot. Chewse a mon un lerr 'im cum ter me. If 'e con kill me, we lot ull be yower sairvunts, burr if ah kill 'im then yow lot ull atter be ower sairvunts. Goo on ah dare yer. Giz a mon soo's we con 'ave a fight."

Wen Saul un the blokes uv Israel 'eerd 'im thay wuz all frit. Noboddy in Saul's armee wanted ter goo un 'ave a scrap wi' orrabull jiyunt.

Evvry mornin' un evvry night fer fowerty days Goliath kep' bawlin' fer sumboddy ter goo un fight 'im.

David wuz faydin' is fairther's shayp ut Bethlehem but thray uv 'iz bruthers ud gone wi' Saul t' 'elp fight the Philistines.

Jesse sed ter David, "Goo un tek this parched corn un theez ten looves o' bred ter yer bruthers.

"Tek theez ten chayziz uz a prez'nt ter thayer captin.

Ah shud like ter know 'ow thay'm all agooin' on."

David gorr up airly o' the mornin' un lef' the shayp wi' a sairvunt.

'E got ter the camp just uz th' armiz wuz gerrin' reddy fer battle.

The Philistines un th' Israelites stud fairsin' aych uther.

David lef' the things 'e'd tuk wi' a mon ter tek care on un run inter th' armee ter spayke tew 'iz bruthers.

Wile 'e wuz talkin' wi' um Goliath cum bitween the tew armiz un bawled the sairme wairds 'e'd bawled afower un David 'eerd 'im.

The blokes uv Israel run away frit ter jeth.

David 'eerd um say tharr if enny mon ud kill this jiyunt the king ud mek 'im rich un 'e cud 'ave 'iz dorter fer 'iz missis.

David asked um ter tell 'im aggen wot the riward woz fer the one wot killed Goliath.

Eliab, David's owdist bruther 'eerd 'im asking un wor arf anniyed.

Eliab sed, "Wot'n yow cum messin' abaht 'ere for? Ooz

lukkin' after the shayp at wum? This battle's nuthin' ter dew wi' yow."

David ripliyed, "I ay dun nuthin' rung 'ave I? Oo'z this bloke think 'e 'iz diffiyin' th' armiz o' the livvin' God?"

David called the armiz uv Israel the armiz o' God cuz the childrun uv Israel wuz God's chowzun rairse un 'e called God the livvin' God cuz all uther Gods um onny jed iyduls.

Wen the blokes wot wuz nayer David 'eerd worr 'e sed thay went un tode Saul un Saul sent forr 'im.

David went ter Saul but Saul day rimember 'im.

David tode Saul thut 'e'd 'ave a goo ut the Philistine.

David sed, "Dow let ennyboddy wurry abaht that bloke. 'E ay wuth it. Ah'l goo un 'ave a pop at 'im."

Saul sed, "But yow'm onny a yewth un that bloke's bin a mon o' war since 'iz yewth."

David sed, "Wile ah wuz lukkin' after me fairthers shayp a liyun un a bear cum un tuk a lamb. Ah went after the liyun un swiyped 'iz ear 'ole forr 'im un ah wuz airble ter tek the lamb aht 'iz mahth un it wor 'airt. Wen the liyun stud on 'iz 'ind legs t' 'ave a goo ut me ah copped 'ote on 'im by 'iz beard un killed 'im. Ah killed bewth on um, the liyun an' the bear soo ah cor see why ah cor kill that nasty ode Philistine. The Lord wot sairved me frum the paw o' the liyun un the paw o' the bear will sairve me frum th' 'ond o' this Philistine."

Saul sed, "Goo, un the Lord be wi' yer."

Saul gid David 'iz oon armer, 'iz bross 'elmit, 'iz coot o' mairl un 'iz sord, but David sed 'e day waant um, 'e cud manij wi' aht.

'E tuk 'iz shepuds cruk un rewtid fer fiyve smewth bibbuls aht the bruk un purr um in 'iz shepuds bag.

'E'd gorr 'iz catterpult in 'iz 'ond wile 'e wuz gerrin' clooser ter Goliath.

Goliath walked nayerer ter David un wen 'e cud see 'im a bit better 'e day think it wuz wuth fiytin such a kid.

Goliath wuz expectin' ter see a strung brairve sowjer.

Goliath sed, "Der yow think ahm a dog or summat cummin' ter me wi' a cruk in yer 'ond?"

'E called ter th' iyduls 'e wairshipped ter cairse David un then asked David ter cum tew 'im soo's 'e cud kill 'im.

David sed, "Yow'm a cummin' ter me trustin' in yer

sord un shayuld un spayer burr ah'm acummin' ter yow trustin' in the God uv Israel. This verry day the Lord's gunna gi' yer tew me un ah shull chop yer yed off. The Philistines will all be killed un thayer jed bodiz ull lie on the grahnd fer the bairds un wiylde baysts tew ate."

Wen Goliath got nayerer ter David, David run terwards 'im.

'E purr 'iz 'ond in 'iz shepuds bag un tuk one o' the bibbuls aht. The bibbul wor no bigger thun a glarney un 'e purr it in the catapult un slung it.

It 'it Goliath right in the middle uv 'iz forrid un 'e drapped dahn wi' 'iz fairce ter the grahnd.

David run un stud on top o' Goliath un tuk 'iz sord from 'im un then 'e cut 'iz yed off wi' it.

Wen the Philistines sid thut Goliath the bloke thay trustid in wuz jed thay tuk thayer uks.

The armee uv Israel follered um un killed alorr on um.

Then th' Israelites tairned back un went ter the Philistines camp.

Thay tuk all thayer gode un silva un the things wot thay'd left in thayer tents.

David cum away frum the battle 'owdin' Goliath's yed.

Abner the captin uv Israels armee tuk David ter Saul.

Saul sed, " 'Ooz son bin yer?"

David sed, "Ah'm the son o' yower sairvunt Jesse frum Bethlehem."

Saul's son Jonathan wuz theer un wen 'e sid David un 'eerd 'im spake 'e liked 'im ever ser much.

The Lord cauzed Jonathan ter luv David soo's Jonathan ud be 'iz frend in all the trubbles wor ud gorra cum tew 'im.

David went ter live wi' Saul. Saul wudn't lerr 'im goo back tew 'iz fairther's wum.

Jonathan promised David 'e'd be kind tew 'im un ter show 'im 'ow much 'e liked 'im 'e gid 'im sum o' the cloos 'e wuz wairin' un 'iz sord, un a bow un the gairdle wot wuz fassund rahnd 'iz wairst.

David alliz abbayed Saul's cummarnds un Saul med 'im a captin in the armee.

Saul un David went threw sum o' the sittiz o' the land tergether un all the wimmin cum aht thayer 'owziz un sung un danced un prairzed um fer winnin' the battle aggin the Philistines.

Mind yer thay prairzed David a bit mower thun Saul.

Thay sed Saul ud killed thahz'ns but David ud killed tens o' thahz'ns.

Saul day like um praizin' David mower thun 'im un it med 'im jelluss o' David un 'e day like 'im ennymower.

It wor lung afower ayvil spirit gorr in Saul's 'art aggen un David played th' 'arp tew 'im like 'e did afower.

Saul ud gorr 'izself in a wickid frairme o' mind un waantid ter kill David. 'E'd gorr a spayer in 'iz 'ond un chukked it ut David but David dojjed it..

Saul chukked anuther but David sid it cummin' un dojjed it aggen.

Saul wuz frit o' David cuz 'e cud see 'ow the Lord wuz 'elpin' 'im.

The Lord day seem ter be 'elpin' Saul ennymower.

Saul sent David off wi' the sowjuz 'e wuz captin on.

God 'elped David ter dew evvrythin' well un evvryboddy thort the wairld on 'im.

Evenchally Saul sed ter David, "Ah'l gi' yer me dorter fer yer missis if yo'll goo un fite the Philistines."

Saul sed this cuz 'e wuz 'opin' the Philistines ud kill David.

David went un fort the Philistines but wen the time cum fer 'im t' 'ave Merab, Saul went un gid 'er tew anuther bloke.

It 'app'n'd tho' uz Saul's yungist dorter fell in luv wi' David.

'Er nairme wuz Michal.

Saul got t' 'ear abahrr it un sed David cud 'a' Michal fer 'iz missis if 'e'd goo un kill 'undrud Philistines.

Saul thort the Philistines ud shewerly kill 'im this time.

David went wi' 'iz sowjuz un thay killed plenty o' Philistines but nuthin' 'appn'd ter David.

Saul gid Michal ter David un 'er becum 'iz missis.

Saul sid 'ow the Lord wuz 'elpin' David un got mower un mower frit on 'im. 'E 'aytid the site on 'im un all.

Saul asked 'iz son Jonathan un sum uv 'iz sairvunts ter kill David.

Jonathan liked David tew much ter waant 'im ter be

killed soo 'e went un tode 'im abahrr 'iz fairther waantin' 'im ter be killed.

Jonathan sujjested uz David shud guttew a saycrit plairse t' 'iyde.

Jonathan went t' 'aye a few wairds wi' Saul un begged on 'im not t' 'airt David.

'E sed uz David ud onny dun gud ter Saul. 'E'd nevver dun ennythin' rung un risked 'iz oon skin ter kill Goliath.

Saul knowed abahrr all the things David ud dun un wuz evver ser playsed ut the time thay 'appn'd.

Saul lissund ter Jonathan un dissiydid uz David day dizairve ter be killed un promised not t' 'arm 'im.

Jonathan called David frum the plairse 'e wuz 'iydin' un tode 'im 'iz fairther ud chairnjed 'iz mind abaht killin' 'im.

'E tuk David ter Saul un 'e lived ut Saul's plairse aggen.

War wuz gooin' on in the land aggen un David went un fort the Philistines..

Saul wor very playsed wen David gairned the victree cuz it onny med the peeple like David alot mower thun thay alreddy did.

Ayvil spirit gorr inter Saul aggen un 'e sot in th' 'owse wi' a spayer in 'iz 'ond.

Wile David wuz playin' th' 'arp afower Saul 'e chukked the spayer ut David intendin' ter kill 'im but David gorr aht the rode un it went in the wall.

David waantid ter tek 'iz uk theer un then soo Saul sent messinjuz ter David's apartmint ter waatch uz 'e day isscairpe in the nite un then thay'd gorra kill 'im the nex' mornin'.

David's missis knowed wot wuz gooin' on un 'er sed, "If yow dow gerr away frum 'ere ternight, yow'l be killed termorrer."

'Er owpund a winder forr 'im ter get threw weer Saul's messinjuz cudn't see 'im.

Wen David ud gone 'er gorr imij un purr it in 'iz bed un shuvved a piller under the bed-cloos un all.

Wen it wuz all cuvvud up it lukked fer all the wairld uz tho' David wuz theer in bed.

Wen Saul's blokes went ter get David thay onny fun th' imij theer.

Saul wor arf savij wi' Michal fer coddin' evvryboddy.

David went ter Ramah weer Samuel livved un tode Samuel all abaht Saul.

After that 'e went ter Naioth un sumboddy went un tode Saul weer thay'd sid 'im.

Saul sent blokes ter goo un get David burr 'e'd already lef' Naioth un gone ter weer Jonathan livved.

David sed, " Worrevver 'ave ah dun ter yower fairther uz meks 'im waant ter kill me?"

Jonathan sed, " Ah dow think aar dad ud kill yow wi' aht tellin' me fust. Enny rode up worrevver yow waant yow know uz ahm alliz reddy t' 'elp yer."

The nex' day wuz a fayst day, un Saul ud be expectin' David ter be gooin' ter the fayst.

David wuz frit ter goo un asked Jonathan if 'e'd gi' 'im thray days off.

Jonathan wuz gunna tell Saul uz 'e'd gid David pumishun ter goo un see 'iz fairther un bruthers ut Bethlehem soo 'e cud be wi' 'iz oon famlee wen they offud up thayer annyewul sacrifiyce.

Thay knowed tharr if Saul wuz anniyed abahrr it thut 'e'd still be ditairmind ter dew summat ter David.

Jonathan gid David pumishun ter be away fer thray days.

David waantid ter know 'ow 'e'd know abaht the way Saul ud tuk it.

Jonathan sed, " Let we goo in this feeuld un ah'll tell yer."

'E tode David ter cum inter the sairme feeuld in thray days time un 'iyde be'ind a rock wot wuz theer.

Jonathan sed 'e'd cum un all prittendin' noboddy wuz theer.

'E'd shewt thray arrers frum 'iz bow uz if 'e wuz shewtin' ut summut un then 'e'd send a lad ter pick th' arrers up.

If Jonathan called ter the lad, " Th' arrers um on this side on yer," David ud know uz Saul wor gunn' 'airt 'im. If 'e yelled aht, " Th' arrers um in frunt on yer," David ud know 'e'd gorra tek 'iz uk or be killed.

Jonathan thort this wuz the best way o' lerrin David know in cairse sumboddy sid the pair on um rattlin' tergether.

David went away the day afower the fayst startid.

Saul alliz sot dahn t' ate 'iz mayles be the wall.

Jonathan un a captin nairmed Abner sot by 'im.

Saul day say nuthin' abaht David the fust day.

The nex' day wen David's sayt wor occyerpied, Saul sed ter Jonathan, "Why ay David cum ter the fayst? Ah day see 'im yesterdee un 'e ay tairned up aggen terday."

Jonathan tode 'iz fairther 'e'd gid David pumishun ter goo un see 'iz dad un 'iz bruthers cuz thay waantid 'im ter be theer wen thay offud a sacrifiyce.

Saul wuz anniyed wi' Jonathan fer lerrin David goo.

'E tode Jonathan 'e'd gorra stop faiverin' David.

Saul sed, "Ah waant yo' ter be king wen ah'm jed norr 'im."

Saul knowed tho' uz Jonathan wudn't be king uz lung uz David wuz livvin' that's why 'e waantid David aht the rode.

Saul tode Jonathan ter goo un get David cuz 'e waantid 'im killed.

Jonathan sed, "Wot's 'e gorra be killed for? 'E ay dun nuthin' rung."

Saul chukked 'iz spayer ut Jonathan, soo Jonathan knowed uz Saul ud got one on 'im un wuz ditairmind ter kill David.

Jonathan gorr up frum the tairble. 'E wudn't 'ave ennythin' else t' ate.

'E wor arf anniyed wi' 'iz fairther un 'e wuz wurried ter jeth abaht David.

The nex' day wuz the one David wuz gunn' 'ide be'ind the rock in the feeuld.

Jonathan went aht inter the feeuld wi' a little lad un sent 'im on in frunt ter find th' arrers 'e wuz gunna shewt.

'E shot arrer wot went oover the top o' the lad.

Jonathan shahtid, "Th' arrer's in frunt on yer 'urry up un gerr it."

David 'eerd wot Jonathan sed un knowed 'e'd gorra tek 'iz uk cuz Saul waantid ter kill 'im.

The lad picked th' arrers up un tuk um ter Jonathan.

Jonathan gid the lad the bow un arrers un tode 'im ter carry um back ter the sitty forr 'im.

Uz sewn uz the lad ud gone David cum frum be'ind the rock un bahd dahn wi' 'iz fairce ter the grahnd thray times afower Jonathan.

Thay kissed aych uther un blartid a bit.

Jonathan tode David ter gerr away uz kwik uz 'e cud un thay bewth promissed uz thay'd alliz be kind un 'elpful tew aych uther an' tew aych uthers kids.

Thay partid. David tuk 'iz uk un Jonathan went back ter the sitty.

THE FIRST BOOK OF SAMUEL

(Chapters 21—25)

DAVID got ter the sitty o' Nob weer the tabbunackle woz. The peeple ud shiftid it frum Shiloh after th' ark ud bin tuk be the Philistines.

Th' 'igh prayst nairmed Ahimelech asked David worr 'e'd cum for.

David day waant ter tell 'im 'e'd tuk 'iz uk frum Saul in cairse sumboddy went un tode Saul weer 'e woz soo 'e tode Ahimelech a fib.

'E sed the king ud sent 'im on a saycrit errund un adn't gorra tell ennyboddy worr it wuz all abaht.

David adn't orter tode enny liyz tho'.

The Lord ud sairved 'im frum the lyun un the bear an' sairved 'im frum Goliath soo shewly 'e'd sairve 'im frum Saul.

Sum yung chaps wot wuz frends o' David's wuz wi' 'im.

David asked Ahimelech fer five looves o' bred soo's thay cud 'a' summat t' ate.

Ahimelech tode David thur wor no bred excep' the show-bred wot the praysts plairsed on the gode tairble evvry wik soo thay'd atter 'a' that.

A bloke ut the tabbunackle nairmed Doeg wor one o' the childrun uv Israel.

'E'd cum frum the land uv Edom.

Saul yewster pay 'im fer lukkin' after 'iz cattle.

Doeg sid David talkin' t' Ahimelech.

David sed t' Ahimelech, "An yer gorr a spayer or sord ah cun 'ave cuz I ay bort none o' me weppuns wi' me?"

Th' 'igh praysts sed, "Ween still got Goliath's sord wrapped up in a cloth soo if yo' waant it, tek it, I ay got nairer nuther."

David sed, "Giz it then?" 'E tuk the sord un lef' the tabbunackle cuz 'e thort Saul ud sewn be cummin' after 'im.

'E jairnid alung til 'e got tew a sitty billungin' the Philistines called Gath weer the king wuz nairmed Achish.

Wen the king's sairvunts sid David thay reckeniyzed 'im un tuk 'im ter the king.

Thay sed, "This is Dairvid. The wimmin uv Israel yewster sing 'iz prairzis sayin' Saul's killed thahz'ns o' Philistines but Dairvid's killed tens o' thahz'ns."

David wuz frit un prittendid 'e'd lost 'iz sensiz un gone saft.

Wen King Achich sid David be'airvin' like a lewny 'e sed, "This mon's mad. Wotcher bort 'im ter me for? Ah dow waant no lewnatics rahnd 'ere thank yer."

The kings' sairvunts let David goo.

David lef' Gath un went intew a grairt big cairve called the cairve uv Adullam un lived theer.

Wen David's famlee got t' 'ear abahrr 'im thay went wi' alot mower fowks wot wuz willin' t' 'elp David ter stop wi' 'im.

Thur wuz abaht fower 'undrud blokes willin' t' 'elp.

David's muther un fairther wuz gerrun' on a bit un David waantid um ter be livvin' in a better plairse thun the cairve weer 'e wuz 'iydin', burr 'e day waant um ter goo back ter Bethlehem cuz the Philistines wuz theer.

David went ter the King uv Moab un asked 'im if 'iz muther un fairther cud stop in 'iz land until 'e fun aht wot God waantid 'im ter dew.

The king let um live theer wile David wuz livvin' in the cairve.

David thort o' the time wen 'e wuz a lad lukkin' after 'iz fairther's shayp in Bethlehem.

'E thort o' the well be the gairte weer 'e yewse t' 'ave a drink o' wairter.

'E lunged fer a drink frum that well aggen un sed in a lahd viyse, " 'Ow ah wish sumboddy cud gi' me a drink frum that well wot's be the gairte o' Bethlehem."

Thray o' David's blokes 'eerd 'im un thay went un forced thayer way threw a gang o' Philistines. Thay drawed sum wairter frum the well un tuk it ter David.

Wen David thort abaht the blokes riskin' thayer liyves ter fetch 'im sum wairter 'e wudn't drink it. Insted 'e powered it on the grahnd uz off'rin' ter the Lord.

A proffit nairmed Gad went ter David un tode 'im not ter stop in the cairve enny lunger. 'E tode 'im ter goo back ter Judah.

David went ter Judah un lived in a wood.

Saul wuz in the sitty o' Gibeah. 'E wuz sot dahn under a tree wi' 'iz spayer in 'iz 'ond un 'iz sairvunts wuz astondin' rahnd 'im.

Saul tode 'iz sairvunts thay wuz 'iz enamiz cuz thay wudn't tell 'im wot Jonathan un David wuz up to.

Doeg the bloke from Edom tode Saul 'e'd sid David ut the tabbunackle un Ahimelech the prayst ud gid 'im bred un Goliath's sord.

Saul sent fer Ahimelech un th' uther praysts wot wuz wi' 'im.

'E asked Ahimelech why 'e'd 'elped David ter rise aggin 'im un gid 'im bred un a sord.

Ahimelech sed 'e day know David waantid ter rise aggin 'im.

Ahimelech day know David wuz runnin' away frum Saul cuz David day tell 'im.

Saul wuz anniyed wi' Ahimelech un sed, " Yow an' all yer rillairshuns um gunna be put ter jeth."

Saul sed ter the sowjuz astondin' by 'im, " Kill the praysts cuz thay'm on Dairvid's side!"

The sowjuz wudn't abbay Saul soo 'e asked Doeg ter kill um.

Doeg wuz a wickid varmint un went un killed eighty-five praysts.

Doeg then guz ter the sitty o' Nob weer the tabbunackle woz un weer the praysts livved. 'E killed all on un 'e fun theer.

One uv Ahimelech's sons nairmed Abiathar isscairped un

went ter David ter tell 'im worr ud 'app'nd.

David sed 'e gessed wen Doeg sid 'im ut the tabbunackle 'e'd goo un tell Saul un thort it wuz 'iz fault Abiathar's rillairshuns ud bin killed.

'E asked Abiathar ter stop theer wi' 'im un promissed noboddy ud 'arm 'im.

David 'eerd thut the Philistines ud cum ter Judah un wuz fiytin' aggin the sitty o' Keilah un robbin' the peeple o' thayer grairn.

David asked the Lord if 'e shud goo un fiyte aggin um.

The Lord sed, "Goo. Distriy the Philistines un sairve Keilah."

The blokes wot wuz wi' David wuz frit ter goo soo David asked the Lord aggen worr 'e shud dew.

The Lord day chairnj 'iz mind tho'. 'E tode David ter goo un 'e'd gi' 'im the victree.

David un 'iz blokes went un 'ad a goo ut the Philistines. Thay wun the fiyte un sairved the peeple o' Keilah.

Saul got t' 'ear David ud gone ter Keilah un thort uz this wuz 'iz opperchewnutty ter cop David.

'E dissiydid ter send 'iz sowjuz ter surrahnd the sitty soo's 'e cudn't isscairp soo 'e gorr 'iz armee tergether un tode um ter goo un get David.

David knowed wot wuz gooin' on. 'E asked the Lord if Saul 'ud cum un the Lord tode 'im 'e wud.

David then asked the Lord if the peeple wot livved ut Keilah, them worr 'e'd sairved frum the Philistines, ud 'elp 'im fiyte aggin Saul or wud thay gi' 'im up.

The Lord sed thay'd gi' 'im up.

Thur wuz abaht six-'undred blokes wi' David un thay went frum Keilah t' 'ide frum Saul.

Wen Saul 'eerd David ud lef' Keilah 'e thort it ud be saftniss ter goo wen David wor theer.

Saul tried 'iz 'ardist ter find David but God kep' David sairfe.

David 'id in a wood.

Jonathan knowed weer 'e woz tho' un went tew 'im.

Jonathan sed, "Dow yo' wurry Dairvid. Th' ode mon wo' find yer 'ere. Yo' wull be King uv Israel sum day."

Thay promissed aggen ter remairn frends un never t' 'airt one anuther.

Jonathan went back wum un David stopped theer in the wood.

Saul un 'iz armee went sairchin' fer David.

Thay wor fare away frum 'im wen a bloke went ter Saul un sed, " Urry up un cum back wum. The Philistines uv cum inter yower land."

Saul went ter fiyte the Philistines un David tuk 'iz uk inter the wilderniss.

Saul picked thray thahz'n sowjuz un tuk um inter the wilderniss t' 'unt fer David amung the rocks weer wild goats livved.

David un 'iz blokes wuz 'iydin' in the sides uv a cairve un Saul day see um.

Saul went inter the cairve by 'izself.

David's blokes waantid ter kill 'im but David wudn't let um.

David wuz still willin' tew abbay Saul cuz Saul wuz still the king.

David crep' up be'ind Saul in the cairve un cut a bit o' Saul's robe off un Saul day even know abahrr it.

Wen Saul lef' the cairve David follered' im un shahtid, " Me Lord the King."

Saul tairned rahnd ter see 'oo wuz bawlin'.

David bahed dahn wi' 'iz fairce t' th' airth afower Saul.

David sed, " Wot'n yo' lissun ter wickid blokes for? Ah dow waant t' 'airt yer un if ennyboddy sez ah dun, thay'm mischayf mekkin'."

David tode Saul it ud a' bin aysey t' 'airt 'im in the cairve burr 'e wudn't let 'iz blokes kill 'iz master wot the Lord ud med king.

David 'eld up the bit o' Saul's robe un sed, " Yer si' this birr o' yower robe in me 'ond! Ah wuz nayer anuff ter yer ter cut yer yed off insted, burr ah share dew enny 'arm ter yer. Yo'd like ter si' me jed tho' wudn't yer? Let the Lord juj between we un si' which one on we iz rung. Let the Lord punish yer fer yer krewilty ter me burr ah share 'airt yer."

Wen Saul 'eerd David spaykin' kind tew 'im the faylin' uv 'ate went aht on 'im. 'E sed, " Am yo' spaykin' ter me, me son Dairvid?"

Saul blartid. 'E sed, " Yow'm mower rychuss thun ah

bin Dairvid. Yow'n dun gud ter me un ah've bin a bad un ter yo? Let the Lord reward yer fer yer gudniss. Ah know thut sum day yow'll be King uv Israel. Promiss me afower the Lord uz yo' wo' kill mah kids wen ah'm jed."

David promissed 'e wudn't.

Saul went back wum un David stopped in the wilderniss.

Samuel died un all the childrun uv Israel congregairtid ter mourn fer 'im un thay berrid 'im ut Ramah.

David went ter the wilderniss uv Paran weer a rich mon livved.

This mon ud got thray thahz'n shayp un a thahz'n goats.

'Iz nairme wuz Nabal un 'iz missis wuz nairmed Abigail.

Abigail wuz a luvvly wummun. 'Er wuz ever ser niyce lukkin'. 'Er wuz kind un alliz did the right sort o' things. Nabal wuz a rotter tho'.

'E yewster dew the dairty across uther folks un 'e worr arf bad tempud.

David un 'iz blokes wuz campin' nayer weer Nabal's flocks wuz afaydin'.

The blokes wuz 'ungree, but thay nevver pinched ner even tuched ennythin' billungin' ter Nabal. Thay wuz perliyte ter Nabal's shepuds un all.

Nabal went ter shayer 'iz shayp ut Carmel.

Wen David knowed 'e sed ter ten uv 'iz yung blokes, "Goo un gurrer Carmel. Talk niyce ter Nabal un ask 'im if 'e'l gi' we summut t' ate."

The yung blokes went ter Nabal. Thay sed David ud sent um un begged o' Nabal ter gi' um sum fewd.

Nabal sed, "Ooz Dairvid wen 'e'z a' wum? Plenty o' yung chaps run away frum thayer gaffers theez days. Der yo' think ah'm a gunna gi' bred un the mayte ah'n killed fer mah shayerers ter blokes ah known nuthin' abaht? Goo un tek yer uks."

The blokes went back ter David ter tell 'im Nabal wudn't gi' um ennythin'.

David purr 'iz sord on. 'E sed, "Gaird yer sords on," un tuk fower 'undrud blokes wi' 'im t' 'ave a goo ut Nabal.

Tew 'undrud blokes stopped ter gard the camp.

Wot med David soo anniyed wuz the fac' tharr all the tiyme thay'd bin in the wilderniss thay'd 'ad plenty opper-chewnutty t' 'elp umselves ter sum o' Nabal's animals ter kill un ate.

David dissiydid ter gi' Nabal summut ter goo on wi' fer bein' such a mizrubble ode skinflint.

'E wuz mekkin' 'iz way, 'im un 'iz blokes terwards Nabal's 'owse wen one o' Nabal's shepuds sid um. The shepud went un tode Abigail thut David un 'iz blokes wuz acummin'.

'E tode Abigail thut Nabal adn't bin very nice ter David's messinjuz.

'E alsoo tode 'er thut David ud bin ever ser daysunt ter Nabal's blokes wen thay wuz in the wilderniss.

The yung mon tode Abigail t' 'urry up un think o' the bes' thing ter dew.

Abigail rushed rahnd. 'Er got tew 'undrud looves o' bred, tew bottuls o' wiyne, fiyve shayp worr ud alreddy bin killed, fiyve meshyers o' parched corn, 'undrud clustus o' rairzuns, tew 'undrud cairks o' figs. 'Er loodid evvrythin' on assiz.

'Er tode one uv 'er sairvunts ter goo on in frunt un 'er'd foller.

'Er day tell 'er 'usbund Nabal tho', cuz 'e'd nevver 'a' stopped chuntrin' if 'e'd 'a' knowed.

As 'er rode alung on ass 'er cum tew a shairdy bit uv 'ill un 'er sid David un 'iz blokes acummin' terwards 'er.

'Er gorr off th' ass un bahed dahn afower David wi' 'er fairce ter the grahnd.

'Er sed, "Lissun ter me wull yer? Dow yo' tuk enny nowtiss o' wot my 'usband sed tew yer. Ah'n bort all theez things uz a prez'nt ter be shared amung yer."

'Er asked David ter fergi' 'er fer cummin' ter mayte 'im burr 'er day waant no bost up a' wum.

'Er sed the Lord ud shewerly bless David un sairve 'im frum Saul un wen the Lord med 'im King oover Israel 'e wudn't be sorry 'e'd lissund tew 'er.

David thanked the Lord fer sendin' Abigail ter mayte 'im cuz 'er kindniss ud kep' 'im frum gooin' un killin' Nabal.

'E tuk the things worr Abigail gid 'im, un 'im un 'iz blokes went back ter thayer camp.

Wen Abigail got back wum Nabal wuz 'avvin' a party un 'e wuz blotto, soo 'er day say nuthin' tew 'im that niyte.

The nex' mornin' 'er tode 'im o' the dairnjer 'e'd bin in un 'ow 'er'd stopped David frum cummin' un killin' 'im. Nabal wor arf frit.

In fac' it friytund 'im that much it med 'im fayle evver ser bad.

All 'iz stren'th lef' 'im un 'e lay theer 'elpliss.

Ten days after 'e wuz jed.

Wen David 'eerd Nabal wuz jed 'e thanked the Lord aggen fer stoppin' 'im gooin' ter Nabal's 'owse.

'E sed, " Blessid be the Lord wot's kep' me frum dewin' ayvil."

Wen David fust sid Abigail 'e tuk a fancy tew 'er soo 'e sent sum messinjuz t' Abigail t' ask 'er if 'erd be 'iz missis.

The messinjuz asked Abigail if 'er'd goo wi' um cuz David ud like 'er ter be 'iz missis.

'Er bahed dahn wi' 'er fairce ter th' airth un sed, " Let me be 'iz sairvunt."

'Er 'urrid up un gorr on ass, un tuk fiyve uv 'er 'ond-maird'ns wi' 'er.

Thay follerd the messinjuz un Abigail went ter live wi' David un becum 'iz missis.

THE FIRST BOOK OF SAMUEL

(Chapters 26—31)

SUM peeple called Ziphites worr ud wunce 'elped Saul ter find David cum aggen un tode Saul weer David wuz 'iydin' in the wilderniss.

Saul's wickidniss 'adn't chairnjed much in spiyte o' David spairin' 'iz life in the cairve.

Sumtiymes Saul felt uz if 'e still waantid ter kill David just uz much uz 'e did afower 'e went in the cairve.

Wen the Ziphites tode Saul weer David woz 'e tuk thray thahz'n blokes inter the wilderniss ter find 'im.

David 'eerd uz Saul wuz after 'im aggen un sent sum

spiyes aht ter waatch fer 'im acummin'.

David sed tew 'iz oon blokes, "Oo'z agunna cum wi' me ter Saul in 'iz camp?"

A neffew o' David nairmed Abishai sed 'e'd goo.

The pair on um went un 'id nayer w'eer Saul wuz campin' un in the niyte thay crep' up ter weer Saul wuz snewzin'.

Saul's spayer wuz stuck in the grahnd be 'iz piller.

The captin o' Saul's armee nairmed Abner un all th' uther sowjuz wuz slaypin' all the way rahnd Saul.

Abishai asked David ter lerr 'im kill Saul. 'E sed 'e cud stick the spayer right threw 'iz boddy inter the grahnd.

David sed, "Dow distriy 'im. It 'ud be a sin ter kill the Lord's anniynted."

'E called Saul the Lord's anniyntid cuz it wuz the Lord worr ud çummarndid Samuel tew anniynt 'im uz king.

David sed thut the Lord ud see thut Saul 'ud die sum'ow sum day burr it wor fer them ter dew it. Then David tode Abishai ter pick Saul's spayer up un the bottle o' wairter wot wuz by 'im un thay'd goo.

The Lord ud cauzed Saul un all 'iz blokes ter slayp 'evvy un none on um knowed uz David un Abishai ud bin theer.

David went un stud on top uv a bonk un shahtid, "Bin yer gunna anser me Abner or bay yer?"

Abner woke up un sed, "Oo'm yow wot's bawlin' ter the king?"

David sed, "Why ay yow kep' better waatch oover the king? Fancy lerrin' fowks inter yower camp wot cud kill 'im. Si' worr ah'n gorr 'ere? It's the king's spayer un 'iz bottle o' wairter wot wuz by 'iz piller."

Saul 'eerd David spaykin' un sed, "Dairvid me son is that yo' worr ah con 'ear?"

David ansud, "Ah it's me aggen, yow'm riyte me lord un king.

David asked Saul why 'e wuz still follerin' 'im abaht waantin' ter kill 'im?

David sed, "If ah'n dun rung om willin' ter cunfess me rung dewin' un ah'l offer up a sacrifiyce soo's God'll fergi' me. If yow'm after me cuz ayvil men um pusswairdin yer o' sh'll pray thut the Lord ull punish um but playse dow kill me fer nuthin,."

Saul sed, "Ah'n sinned! Cum back me son David. Ah promise ah share 'airt yer."

David sed, " Yer si' yower spayer ah'n gorr 'ere; let one o' yower yung blokes cum un gerr it."

David tode Saul 'e cud 'a' killed 'im burr 'e wudn't.

Then David prayed ter the Lord un asked 'im ter rescyew 'im frum trubbuls.

Saul 'eerd David prayin' un then startid talkin' kind ter David fer a chairnj.

David went away un Saul went back wum.

Altho' Saul ud spoke kind ter David, David day bileeve 'im cuz 'e'd 'eerd it all afower. 'E knowed 'ow obstropluss Saul woz un thort 'e'd be after 'im aggen afower lung.

'E dissiydid ter goo un live in the land o' the Philistines un Saul ud gi' up lukkin' forr 'im.

David went wi' 'iz six-'undrud blokes ter the sitty o' Gath.

Wen the Philistine king nairmed Achish sid um 'e wuz 'owpin' ter mek um 'iz sairvunts soo 'e lerr um stop theer un gid um a sitty ter live in called Ziklag.

Wen Saul 'eerd weer David ud gone 'e day bother abaht 'im no mower.

David livved ut Ziklag fer 'ear un fower munths.

Wile 'e wuz theer the Philistines gathud thayer armiz tergether ter fiyte aggin Saul.

Achish sed ter David, " Yow un yower blokes shull cum wi' me ter the battle."

'E waantid David ter goo wi' the Philistines ter fiyte aggin Saul un the children uv Israel but David day say 'e'd goo.

The Philistines med thayer camp ut a plairse called Shunem.

Saul un the blokes uv Israel med thayer camp ut Gilboa.

Wen Saul sid all the Philistines 'e wuz frit un day arf trembul.

'E asked the Lord wot ter dew but the Lord day anser 'im nor send a proffit t' anser 'im niyther.

In Israel ut this patikla tiyme thayer wuz sum pairsuns wot 'ad ayvil spirits wot cum wen thay called um.

Thay talked wi' the spirits un asked um kweschuns abaht the fewcher un t' 'elp um ter dew wickid things. Theez spirits wuz called familiar spirits burr it wuz serpoozed ter be a sin t' 'ave a familiar spirit.

The Lord cummarndid tharr all pairsuns worr 'ad theez spirits shud be put ter jeth un 'e ferbid ennyboddy frum gooin' ter such pairsuns t' ask enny kweschuns.

Saul ud sent alorr o' fowks worr 'ad theez spirits aht the land.

Now thut Saul wuz in a birr o' trubbul un the Lord wudn't anser 'im 'e asked 'iz sairvunts ter goo un find a wummun worr ud gorr a familiar spirit soo's 'e cud ask 'er a few kweschuns.

'Iz sairvunts tode 'im theer wuz a wummun worr ud gorr a familiar spirit ut Endor.

Saul chairnjed 'iz cloos soo's noboddy ud know 'im.

'E went ter the wummun ut niyte un 'er day know it wuz Saul.

'E asked 'er ter let the familiar spirit bring up a bloke wot wuz jed cuz 'e waantid t' 'ave a waird wi' 'im.

The wummun asked oo 'er'd gorra bring up frum the jed.

Saul asked 'er ter bring up Samuel.

Samuel oo'd bin jed un berrid fer 'ears suddinly rose up afower um.

It wor th' ayvil spirit worr ud bort 'im up. It wuz the Lord wot sent 'im ter spayke wi' Saul.

Saul stewped wi' 'iz fairse ter th' airth un bahed 'izself dahn ter the grahnd.

Samuel sed, "Wot'n yo' distairbed me fower?"

Saul sed, "Well, o'm that miythud ah cor think strairt. The Philistines cum ter fiyte me. God wo' anser me, soo that's why ah called fer yer ter cum soo's yo' con tell me wot ter dew."

Samuel sed, "Wojjer ask me fower?" The Lord's gone away frum yer un becum yer enamee. Ah tode yer wot the Lord ud dew if yo' day abbay 'im. Dairvid's gunna be king insted o' yo'. The Philistines ull gairn victree oover yo' un th' army uv Israel un wot's mower yo' un yer sons ull all be jiynin' me amung the jed termorrer."

The wairds wot Samuel spoke day arf put the wind up Saul. All the stren'th went aht on 'im cuz 'e 'adn't et ennythin' fer a lung wiyle.

The wummun sid worr a stairt Saul wuz in un sed, "Let me gi' yer summut t' ate. It'll gi' yer a birr o' stren'th ter goo on yer way."

Saul riffewsed. 'E sed, "Ah dow waant nuthin'."

'Is sairvunts un the wummun kep' on tho' 'til 'e sed 'e wud 'a' summut.

'E gorr up off the flewer un sot on the bed.
The wummun 'ad a fat calf worr 'er killed un 'er med sum bred.
Saul un 'iz sairvunts 'ad a mayl un lef' the sairme niyte.
The lords o' the Philistines gathud all thayer armiz tergether ut Aphek.
Achish the King o' Gath went theer tekkin' David un 'iz six-'undrud blokes wi' 'im.
Wen the lords sid um thay sed, " Worr um theez 'ebrews dewin' 'ere."
Achish sed, " This is Dairvid. 'E's the sairvunt o' Saul the King uv Israel un 'e's bin wi' me a lung wiyle. 'E's a niyce chap un ah've nevver fun ennythin' rung wi' 'im."
The lords wor verry playsed wi' Achish.
Thay sed, " Yo' mek 'im goo back weer 'e cum from. We dow waant 'im acummin' ter fiyte wi' we. 'E miyte tairn on we ter playse Saul."
Achish called David un tode 'im ter goo back cuz the lords o' the Philistines day waant 'im theer.
David un 'iz blokes gorr up airly nex' mornin' un lef' the camp.
On the thaird day thay got back ter Ziklag onny ter find thayer wums ud bin bairnt.
Th' Amalekites ud bin theer un distriyed the sitty un tuk away thayer missisis un kids.
The men uv Israel blartid 'til thay cudn't blart no mower.
David wuz miytherd cuz 'iz blokes wuz anniyed wi' 'im fer tekkin' um away frum thayer wums ter goo wi' Achish.
The blokes talked abaht stoonin' David burr 'e kep' on trustin' in the Lord.
David called Abiathar th' 'igh prayst t' ask 'im if 'e shud goo after th' Amalekites.
The Lord sed that David shud goo after um un 'e'd be airble ter get back all wot thay'd tuk.
David went wi' 'iz six-'undrud blokes 'til thay got tew a a brook called Besor.
Tew-'undrud blokes stopped by the brook cuz thay felt wek un cudn't goo enny fairther.
David un th' uther fower-'undrud blokes kep' gooin'.
Thay fun a bloke by 'izself in a feeuld.
The bloke wuz faylin' bad soo thay gid 'im sum bred un

wairter, un a payse o' cairke med o' figs un tew bunchis o' rairsins.

The bloke ud 'ad nuthin' t' ate fer thray days soo 'e felt a bit better after 'e'd 'ad summat.

David asked 'im weer 'e'd cum from.

The bloke sed 'e wuz frum Egypt. 'E wuz the sairvunt uv Amalekite un 'iz master ud let' 'im therr wen 'e startid ter fayle bad.

'E tode David abaht th' Amalekites an' abaht um bairnin' Ziklag.

David asked 'im weer th' Amalekites woz un if 'e cud tek um tew um.

The yung bloke sed, " Well, promiss me fust afower God that yo' wo' kill me nor gi' me back ter me master un ah'l tek yer theer.

After David ud promissed, the bloke tuk um ter weer th' Amalekites woz.

Wen thay got theer th' Amalekites wuz 'avvin' a bostin' time.

Thay wuz aytin' un drinkin' un adancin'.

Thay wor arf enjiyn' umselves wi' all the things thay'd pinched not onny frum Ziklag but frum uther plairses un all.

David un 'iz men fort um un killed a gud menny on um.

Fower-'undrud yung blokes on camuls isscairped tho'.

The blokes uv Israel got thayer missisis un kids back un all thayer billungin's like the Lord sed.

Thay wuz also airble t' 'ave all th' animals wot billunged t' th' Amalekites.

David un 'iz blokes went back ter the brook Besor un the tew-'undrud blokes worr ud stopped theer went ter mayte um.

Sum o' David's blokes worr ud gone wi' David ter fiyte gorr a bit spiyteful.

Thay sed, " Thay day cum wi' we. Why shud we gi' um sum o' the things we'n got? Thay con 'a' thayer missisis un kids back but we dow see why thay shud 'ave ennythin' else.

David gid um a lekcher un tode um thay'd gorra be daysunt un share evvrythin' up. It day matter wether thay'd bin ter fiyte forr it or wether thay 'adn't.

After David lef' the Philistines camp the lords o' the

Philistines went ter fiyte Saul un the blokes uv Israel.

The blokes uv Israel run away frum the Philistines un alorr on um wuz killed on Mahnt Gilboa.

The Philistines kep' gooin' after Saul.

Thay killed Jonathan un anuther tew o' Saul's sons.

Th' archers shot arrers inter Saul un 'e wuz in tidy mess.

Saul sed tew 'iz armer-bairer, "Get yower sord un kill me cuz if the Philistines cop ote o' me thay wo' arf gi' me summat ter goo on wi'."

Th' armer-bairer wuz frit un riffewsed ter kill Saul.

Saul gorr ote uv 'iz oon sord un stud it on the grahnd wi' its piynt uppuds.

'E fell on it uv a pairpuss un it went strairt in 'iz boddy un killed 'im.

Th' armer-bairer sid Saul wuz jed soo 'e went un killed 'izself be dewin' the sairm thing.

The Philistines gairned the victree like Samuel sed.

Wen the children uv Israel knowed 'ow thayer armee ud tuk thayer uk's thay tuk thayer uk's un all.

The Philistines went ter live in the sittiz th' Israelites ud left.

The nex' day the Philistines went ter get the clooz off the blokes thay'd killed.

Thay fun Saul un 'iz thray sons lyin' jed on Mahnt Gilboa.

Thay cut Saul's yed off un tuk 'iz armer off 'im.

Thay put Saul's armer in th' 'owse o' thayer iydul Ashtaroth un fassund 'iz jed boddy un the jed boddiz uv 'iz sons ter the wall o' the sitty o' Beth-shan.

Wen th' Israelites wot lived ut Jabesh-gilead 'eerd wot the Philistines ud dun, all the brairve uns jairnid dewerin' the niyte ter Beth-shan.

Thay rimewved the jed boddiz frum the wall un tuk um ter Jabesh.

Thay bairnt all the boddiz un berrid the boones under a tree.

Thay did this cuz thay rimembud thut Saul ud bin kind ter the fowks o' Jabesh-gilead menny 'ear afower wen 'e went wi' armee un sairved um frum th' Ammonites.

THE SECOND BOOK OF SAMUEL

(Chapters 1—9)

DAVID wuz still at Ziklag.

'E day know uz the Philistines un the blokes uv Israel ud 'ad a scrap un the Philistines ud wun.

A mon cum ter Ziklag wi' 'iz clooz all ripped un sum siyle on top uv 'iz yed uz tho' 'e wuz in alorr o' trubbul.

Wen 'e sid David 'e bahed dahn ter the grahnd afower 'im.

David asked 'im weer 'e'd cum from un the bloke sed, " Ar've isscairped frum the camp uv Israel."

David asked 'im abaht the battle un the bloke sed, " Menny o' the blokes uv Israel uv tuk thayer uk's un alorr on um 'a' bin killed. Saul un Jonathan um jed un all."

David asked, " Ow dun yer know uz Saul un Jonathan um jed?"

The bloke sed, " I 'app'nd ter be on Mahnt Giboria wile the battle wuz gooin' on. Saul wuz laynin' on 'iz spayer un the Philistines wuz acummin' in thayer charryuts un sum 'ossmen wuz acummin' ter kill um.

" Wen Saul tairned rahnd un sid me 'e called me un asked me ter kill im cuz 'e day waant ter live no lunger.

" I killed 'im un tuk the crahn off 'iz yed un the brairslit off 'iz arm un ar'n bort um fer yer."

This bloke wor tellin' David the trewth cuz Saul ud killed 'izself.

The bloke thort uz David ud be playsed un gi' 'im a reward fer killin' Saul but David wor a bit playsed.

Insted o' that 'e gorr 'ote uv 'iz clooz un ripped um all up, un all the blokes wot wuz wi' David ripped thayer clooz up an all.

Thay all blartid un mourned fer Saul un 'iz son Jonathan un all th' uther blokes uv Israel worr ud bin killed.

David asked the yung bloke weer 'e cum from.

'E tode David 'e wor one o' the childrun uv Israel 'e wuz Amalekite.

David waantid ter know why 'e wor frit ter kill Saul the bloke wot the Lord chowse ter be king.

David sed thut this yung mon worr ud cunfessed ter killin' the King uv Israel must die fer 'iz sin.

David asked the Lord wot ter dew next, wether 'e aught ter stop in the land o' the Philistines or goo back t' Israel.

The Lord tode 'im ter gutter Israel ter the sitty uv Hebron.

David billunged the tribe o' Judah un Hebron wuz one o' the sittiz o' that tribe.

'E wuz thairty 'ear ode be this time un went frum Ziklag tew Hebron.

The chef men o' the tribe o' Judah cum t' Hebron un med 'im king o' that tribe un all.

Th' uther tribes day cum cuz one o' Saul's sons nairmed Ish-bosh-eth still rewled.

Ish-bosh-eth rewled oover th' uther tribes fer sevvun 'ear after Saul wuz jed.

Wile Ish-bosh-eth wuz liyun' on 'iz bed arahnd abaht newn one day tew uv 'iz captin's went intew 'iz 'owse prittendin' ter tek sum whayte un wen thay gorr intew 'iz bedrewm thay killed 'im.

Thay chopped 'iz yed off un in the nite thay tuk it ter Hebron we'er David woz.

Thay tuk the yed ter David un sed, "Be'ode, we'n bort yer Ish-bosh-eth's yed, yer ennamee, the son o' Saul wot waantid ter kill yer.

David wuz anniyed.

'E tode um wile 'e wuz ut Ziklag a yung bloke went tew 'im uz 'e'd killed Saul thinkin' 'e mite gerr a reward fer dewin' it, burr 'e'd bin put ter jeth insted.

Soo nairw David sed thut the blokes worr ud killed Ish-bosh-eth wen 'e wor dewin' no rung shud be put ter jeth.

David sent Ish-bosh-eth's yed ter be berrid in a sepulker.

Wen th' uther tribes knowed Ish-bosh-eth wuz jed thay went tew Hebron ter mek David the King o' them un all, un nairw it med it uz David wuz king oover all the tribes uv Israel.

'E went wi' 'iz armee ter Jerusalem.

Afower this time the blokes uv Israel ud tuk a birr o' Jerusalem frum the peeple o' that land but not all on it.

Theer wuz a big strung cassul on a mahntin nairmed Zion we'er them peeple still lived.

David tuk the cassul from um un went ter live in it 'izself

un called it the sitty o' David.

David cum ter be a grairt mon un the Lord 'elped 'im in all 'e did.

A bloke nairmed Hiram wuz king uv a sitty called Tyre un 'im un David becum pals.

Hiram's blokes wuz clever ut wairkin' wi' wood un stoon soo 'e sent bilduz un carpintuz ter mek 'owse fer David in Jerusalem.

The saircrid ark ud bin in Abinadab's 'owse ever since the Philistines sent it back t' Israel.

It ud bin at Abinadab's plairce fer mower thun sevvunty 'ear.

Bein' uz it ud bin theer ser lung evvryboddy ud gorr a bit careliss abahrr it un niglectid it. David asked the peeple ter goo wi' 'im ter gerr it un tek it ter Jerusalem.

Thay gorr it aht uv Abinadab's 'owse un purr it on a cart ter tek ter Jerusalem.

Wen it wuz fust purr in the tabbunackle God went in a clahd inter the tabbunackle abuv th' ark un theer 'e dwelt in a clahd oover the mairsy sayte.

Wen the childrun uv Israel went trairpsin' threw the wilderniss un tuk th' ark wi' um thay wor allahed ter purr it on a cart. It 'ad ter be carried on the Levites showduz.

The Levites umselves wor allahed nayer it until the praysts ud cuvvud it up wi' cairtins frum the tabbunackle.

Non o' the praysts wuz allahed ter tuch it or luk arr it unless it wuz cuvvud up cuz if thay did thay mite die.

Wen David waantid ter tek th' ark ter Jerusalem 'e shudn't 'a' purr it on a cart.

Uzzah un Ahio the sons uv Abinadab drove the cart.

Wen thay got ter the threshin'-flewer o' Nachon the oxiz wot wuz drawrin' th' ark stumbled un shuk it.

Uzzah stretched aht 'iz 'ond ter cop ote th' ark.

God ud sed uz noboddy shud tuch th' ark un 'e wuz anniyed wi' Uzah fer dewin' it, soo pewer ode Uzzah wuz put ter jeth beside th' ark.

David wor very playsed cuz o' the Lord purrin Uzzah ter jeth.

'E wuz frit un all in cairse the Lord mite send punishmint tew 'im, soo 'e day tek th' ark enny fairther.

'E stopped on the way ter Jerusalem un lef' it in th' 'owse uv a Levi nairmed Obed-edom.

The Lord blessed Obed-edom un all 'iz famlee wile it wuz theer.

Wen David 'eerd 'ow the Lord ud blessed Obed-edom wile th' ark wuz 'iz 'owse, 'e called fer the praysts un Levites ter bring th' ark un purr it in a tent worr 'e'd med fer it in Jerusalem.

David sed thut the Lord wuz anniyed cuz the praysts shud uv 'ondled it in the fust plairse un that wuz why Uzzah ud bin put ter jeth.

THE SECOND BOOK OF SAMUEL

(Chapters 11—15)

THE captin o' David's army wuz nairmed Joab.

David set Joab un 'iz sowjuz ter fite th' Ammonites but David stopped a' wum in Jerusalem.

One nite afta David ud ad 'iz tay 'e went fer a walk on the rewf uv 'iz 'owse un in the distunss 'e sid a luvvly lukkin' wench.

'E dissiydid ter find aht 'oo 'er woz un sumboddy tode 'im uz 'er nairme wuz Bathsheba. 'Er wuz Uriah's missis.

Uriah wuz Hittite un 'e'd gon wi' Joab ter fite th' Ammonites.

David sent waird ter Joab sayin', " Send Uriah ter me," soo Joab sent 'im.

Wen Uriah got ter David's plairse David asked 'im 'ow the war wuz gooin' on un pritendid ter be a frend uv 'iz'n.

Afta thray days David sent Uriah back ter th' army wi' a letter fer Joab.

It sed in the letter uz wen the blokes went ter fite, Joab ud gorra send Uriah wi' um un purr 'im in the moost dairnjeruss plairse.

Wen th' Ammonites cum aht ter fite, all the blokes uv

Israel ud gorra tek thayer uks un layve Uriah theer by 'izself ter be killed.

David did this 'cuz 'e waantid Uriah's missis fer' izself.

Uriah went back ter th' army un gid David's letter ter Joab.

Wen the blokes uv Israel went ter fite th' Ammonites Joab did wot David ud tode 'im. 'E sent Uriah up the battle front un th' Ammonites killed 'im.

Joab sent waird ter David uz Uriah ud bin killed.

David went un fun Bathsheba un tuk 'er tew 'iz oon 'owse ter be 'iz missis.

The Lord wor verry playsed wi' wot David ud dun.

The Lord sent a proffit nairmed Nathan ter see David.

Nathan went ter David un sed, "Theer wuz tew blokes in a sitty. One wuz rich un th' t' uther wuz pewer.

"The rich bloke ud gorra lorro flocks un 'airds un the pewer bloke ud got nuthin' excep' one little lamb worr 'e'd bort un tuk care on.

"It growed up wi' 'iz oon childrun un fed frum off 'iz tairble.

"It eev'n drunk aht uv 'iz cup un seemed like uz if it wuz iz oon dorter.

"The rich mon wot wuz travlin' on a lung jairney went t' 'ave a rest ut the pewer blokes 'owse.

"The rich mon ud got loods o' shayp un goats burr 'e wudn't 'a' one uv iz oon t' ate, 'e killed un et the pewer mons lamb."

Wen David 'eerd this tairl 'e sed, "the rich mon orter be put ter jeth fer dewin' such a thing un 'e shud 'a' gid the pewer mon fower shayp ter riplairse the one 'e tuk."

Nathan ud tode David this tairl ter show 'im 'ow wickid 'e woz, cuz in a way 'e'd dun the sairme sort o' thing.

The Lord ud puck David ter be King uv Israel un gid 'im wives, un kids, un richis burr 'e'd caused Uriah a bloke worr 'adn't got much ter be killed be th' Ammonites soo's 'e cud 'ave 'iz missis.

Nathan tode David uz the Lord ud be punishin' 'im.

Wen Nathan ud finished spaykin' David rayuliysed 'ow wickid 'e'd bin un sed, "Arn sinned aggin the Lord."

After this God gid David un Bathsheba a son.

David thort the wairld on 'im but the Lord sent illniss ter the babby.

David kep' on prayin' uz the babby ud get better.

David gorr all wairked up un wudn't 'ave ennythin' t' ate. 'E lay dahn on the grahnd all nite cryin' ter the Lord.

The chef men o' the sitty cudn't psswaird 'im ter gerr up un 'a' summut t' ate.

The babby died on the sevunth day.

Wen David sid 'iz sairvunts all wissprin tergether 'e gessed worr 'ud 'app'nd un asked um if the babby wuz jed.

Wen 'e fun aht the babby woz jed 'e gorr up un waashed un dressed 'izself un went ter the tent w'eer th' ark wuz kep' un 'e wairshipped the Lord.

'E went back wum un asked the sairvunts ter gerr 'im summut t' ate un 'e'd start aytin' aggen.

The sairvunts wor arf serprised un asked David why 'e wuz be'airvin' like this.

Wen the babby wuz alive 'e wudn't ate ennythin' un nairw the babby wuz jed 'e wuz aytin' all afower 'im.

David sed, "Wile the babby wuz alive ah went on 'unger strike un blartid, ah thort God ud lerr 'im live if ah did that.

"The babbiz jed nairw soo it ay enny yewse 'avin' nuthin' t' ate or blartin enny mooer. Ah cor bring 'im back. Ah sh'll guttew 'im wen ah'm jed, burr 'e cor cum back ter me."

God gid David un Bathsheba anuther son un thay nairmed 'im Solomon.

The Lord luvved Solomon.

David 'ad sum uther wives uz well uz Bathsheba un thay 'ad babbiz un all.

One o' David's missisis 'ad a son nairmed Absalom.

Wen 'e'd growed up ter be a mon 'e wuz one o' the best lukkin' chaps amung the childrun uv Israel.

'E'd gorr a bostin fizeek un 'iz 'air wuz thick un lung.

Wen 'e 'ad 'iz 'air cut ut th' end o' the year it wayed uz much uz tew 'undrud shekels o' silva did.

Absalom wuz a rung un tho'. 'Iz bruther Amnon played a dairty trick on 'im soo Absalom went un killed 'im un then 'e tuk 'iz 'uk tew anuther country un stopped theer fer thray 'ear.

Afta thray 'ear 'e went back tew 'iz oon wum in Jerusalem but David wudn't spake tew 'im cuz o' worr 'e'd dun.

Absalom ud bin back in Jerusalem tew 'ear un nevver sid 'iz fairther all that time.

Enny rode up Absalom sent fer Joab the captin o' David's army cuz 'e waantid 'im ter tek a messij ter the king.

Wen Joab knowed uz Absalom waantid 'im 'e wudn't goo.

Absalom sent fer Joab aggen burr 'e still wudn't goo.

Absalom gorr anniyed cuz Joab wudn't gutter see 'im soo 'im soo ter gerr 'iz oon back on Joab 'e tode 'iz sairvunts ter gutter Joab's feeulds un set the grairn on fiyer.

The sairvunts did uz thay wuz tode.

Wen Joab fun aht worr ud 'app'nd 'e went tew Absalom un sed, "Wotcher think yow'm playin' at sendin' yower sairvunts ter set fiyer ter mah grairn?"

Absalom ripliyed, "Well—yow wudn't cum wen ah sent fer yer un I onny waantid yer ter tek a messij ter the king. Ah reck'n ah mite just uz well stopped weer ah woz in Jerusalem if ah cor see 'im."

Absalom sed uz if 'e wuz fun gilty after 'e'd sid the king then the king cud kill 'im.

Joab went ter the king un tode 'im.

The king sent fer Absalom, un Absalom bahed dahn wi' 'iz fairse ter the grahnd afower 'iz fairther.

David day punish Absalom tho'. Wot's think 'e did?

Insted o' punishin' 'im 'e went un gid 'im a kiss.

Absalom went un got sum ossiz un charryuts un fifty blokes.

'E waantid theez fifty blokes ter run afower 'im wen 'e went aht in 'iz charryut soo uz evvryboddy cud see 'im un think worr a marvluss bloke 'e woz.

Airly nex' mornin' Absalom went un stud be the gairt o' the sitty.

Evvry time 'e sid a bloke cummin' inter the sitty t' ask a fairver frum the king, Absalom stopped 'im un sed, "If ah cud be med king enny mon con 'ave ennythin' thay'm waantin'."

Wen Absalom ud finished spaykin' tew a bloke, the bloke bahed dahn afower' im cuz 'e wuz the king's son, un then Absalom went un kissed the bloke, un 'e went un did this tew all on um wot went ter the sitty gairts.

Mind yer 'e wuz onny coddin' um mekkin' um all think 'e wuz thayer frend.

Absalom went tew 'iz fairther un asked 'im ter lerr 'im goo t' Hebron ter pay a vow ter the Lord.

'E prittendid 'e'd med a vow t' offer a sacrifiyce ut Hebron un 'e waantid ter goo un dew it.

The king tode Absalom ter goo soo 'e tuk off.

'E wuz onny coddin' iz fairther. 'E'd got plans ter get shut uv iz fairther sum'ow un mek 'izself the king.

'E empliyed sum spiyes un sent um threw the land ter pusswaird evvryboddy ter gerr 'iz fairther aht the rode soo's 'e cud be king.

The spiyes tode the fowks tharr on a sairtin day uz sewn uz thay 'eerd the sahnd o' trumpits wot Absalom's frends wuz gunna blow thay'd all gorra start bawlin', "Absalom iz King uv Hebron."

Absalom tuk tew 'undrud blokes wi' 'im.

'E also sent fer David's advizer—a bloke nairmed Ahithopel ter goo wi' 'im un all.

A messinjer went ter David un tode 'im uz the blokes uv Israel wuz gooin' wi' Absalom.

David wuz frit un sed tew 'iz sairvunts, "Cum on kwick, let's tek we uks in cairse Absalom cums."

The sairvunts wuz all reddy ter dew worrevver David waantid, soo thay all lef' Jerusalem un a gud menny fowks went frum theer un all.

Thay crossed oover a brook called Kedron un trairpsed terwards the wilderniss.

The praysts un Levites gorr 'ote th' ark. Thay wuz gunna tek it weerevver David wuz gooin' but David tode um ter tek it back ter the sitty.

David thort p'r'aps the Lord ud be kind tew 'im un lerr 'im goo back ter the sitty burr 'e knowed 'e'd gorr it cummin' tew 'im frum the Lord fer tekkin' Uriah's missis the way 'e did.

'E knowed 'e dizairved punishment un wuz willin' ter tek it wen it cum.

'E went aht o' Jerusalem oover a mahntin called Olivet blartin uz 'e went wi' 'iz yed cuvvud un 'iz fayt bare.

All the blokes wot went wi' 'im ud got thayer yeds cuvvud un bare fayte. Thay wuz all blartin un all.

Sumboddy tode David uz 'iz adviyzer Ahithopel ud gone wi' Absalom t' e'lp un adviyze 'im 'ow 'e cud mek 'izself king.

David prayed uz Ahithopel's adviyse ud be tairned into a

pack o' saftniss un wudn't dew Absalom enny gud.

Wen David ud gorr a bit o' the way aht o' the sitty one uz 'iz mairts nairmed Hushai went ter mayte 'im un goo wi' 'im cuz 'e thort alorr o' David un day waant ter layve 'im.

David tode 'im ter goo back un find aht worr Absalom wuz dewin' un send a saycrit messij back.

Hushai went back ter the sitty ter dew a birr o' scahtin' rahnd on David's be'arf.

THE SECOND BOOK OF SAMUEL

(Chapters 16—24)

DAVID purr a spairt on ter gerr away frum Jerusalem.

Wen 'e got tew a plairse called Bahurim a bloke nairmed Shimei met 'im.

Shimei wuz a rillairshun o' King Saul's un cuz David ud bin med king insted o' Saul, Shimei 'aytid the breth on 'im un wor arf playzed ter si' David in trubbul.

Uz David got clewser ter Shimei, Shimei startin chuckin' stoones ut David un the fowks wi' 'im. 'E startid cussin' um un all.

Wen Abishai, David's neffyew 'eerd Shimei cussin' 'e sed ter David, " That bloke ay no better thun a dog. Oo'z 'e think 'e iz astondin' theer cussin' the king? Let me goo un get me 'onds on 'im un ah'l cut 'iz yed off."

David wudn't lerr Abishai goo nayer 'im. 'E thort uz the way Shimei wuz carryin' on wuz 'iz punishmint frum the Lord, un the Lord wuz lerrin' it 'app'n.

David sed, " Yo' cor expect ennythin' gud frum ennamee wen yo' cunsider uz me oon son's atryin' ter kill me."

Wen David ud lef' Jerusalem, Absalom went theer wi' Ahithophel.

Absalom sid David's pal Hushai in the sitty but day know uz David ud sent' im theer.

Absalom asked Ahithophel tew adviyze 'im worr 'e'd gorra dew tew mek 'izself king.

Ahithophel sed, "Let me pick twelve thahz'n blokes un we'll all goo after Dairvid ternite. 'E'l be frit ter jeth un wile 'e'z wek un fairnt all them wot um wi' 'im ull tek thayer uks un then ah'l kill 'im. Wen evvryboddy siz uz 'e'z jed them worr uv abbayed 'im ull all start abbayin' yow un then yow'l be king."

Worr Ahithophel sed day arf playse Absalom, burr 'e wudn't dew uz Ahithophel sed until 'e'd asked Hushai worr 'e thort wuz the best way.

Hushai tode 'im not ter goo wi' twelve thahz'n blokes cuz it wor anuff. 'E orter wairt till 'e'd gorr a grairt big armee.

Hushai tode 'im this cuz 'e thort that wile Absalom wuz gerrin' this big armee tergether it ud gi' David time tew isscairp ter sum plairse weer Absalom wudn't find 'im.

The Lord med Absalom think that Hushai's adviyse wuz best.

The Lord day waant David ter be killed. 'E wuz gunna punish Absalom insted fer ribbellin' aggin 'iz fairther.

After Hushai ud finished spaykin' tew Absalom 'e went ter the praysts in Jerusalem. Thay wuz David's frends un 'e asked um ter gerr a messij ter David un tell 'im ter cross Jordan uz fast uz 'e cud goo in cairse Absalom's armee cum after 'im.

Tew yung chaps wot wuz sons o' the praysts wuz 'iydin' frum Absalom ut a plairse just ahtside the sitty.

A wummun went un gid um Hushai's messij ter tek ter David.

A yung kid sid theez tew yung chaps un tode Absalom abaht um.

Absalom sent sum blokes after um.

The praysts sons wuz passin' by 'owse worr ud gorr a well in the yard. Thay gorr in the well tew 'iyde un a wummun spred a tairble cloth oover the well un sprinkled corn on top on it soo's noboddy ud know theer wuz a well theer ut all.

Wen Absalom's sairvunts got ter th' o'wse ter luk forr um, thay cudn't find um soo thay went back wum.

Wen thay'd gone the praysts sons gorr up aht the well un tuk Hashai's messij ter David.

David un all the blokes wot wuz wi' 'im wuz airble ter get sairf oover Jordan that nite.

Wen Ahithophel knowed uz Absalom wor gunna dew worr 'e'd tode 'im 'e wor verry playsed. In fact 'e wuz ashairmed uv 'izself cuz Absalom ud tuk plenty o' no nowtiss on 'im soo 'e lef' Absalom.

'E went back tew 'iz oon wum un 'anged 'izself.

We 'e wuz jed 'e wuz berrid in 'iz fairther's sepulker.

After David ud gorr oover Jordan 'e cum ter the land o' Gilead.

Sum blokes lived in Gilead un among um wuz ode mon nairmed Barzillai.

Thay gid David un 'iz blokes sum whayt un barley un sum flower un sum 'unny un butter un sum shayp.

Thay thort David un 'iz blokes mus' be evver s' ungree un jed beat after travlin' ser fare threw the wilderniss.

Absalom gorr 'iz armee tergether uz kwik uz 'e cud ter goo after 'iz fairther.

David cahntid the blokes 'e'd got un med sum on um captins.

'E med Joab the chef captin.

David sed, "Ah'm acummin' wi' yer ter the battle."

'Iz blokes sed, "Yo' ay yer know. We'll goo. Thay'l try un cop 'ote o' yo' fust un yo'll be a gonner."

David ripliyed, "Or right then. Ah'l dew worrevver yo' think's best. Ah'l stop in the sitty o' Mahanaim wi' me peeple wot's cum wi' we."

David stud be the gairt o' the sitty wile 'iz armee went ter fite.

Uz thay passed 'im 'e spoke tew all the captins un sed, "Mind wot yow'm adewin. Trayt all the yung chaps gentle —even ower Absalom."

The battle wuz fort in a wood un God gid David's armee the victree.

Thay killed twenty thahz'n blokes in Absalom's armee.

Absalom rode on a mewul un it went under sum thick branchiz uv oak tree un Absalom's yed got copped amung the branchiz.

The mewul 'e wuz sot on kep' on gooin' un lef' Absalom wi' 'iz yed stuck in the tree un the rest uv 'im danglin' dahn.

A bloke wot sid Absalom danglin' went ter Joab un sed,

" Ah'v sid Absalom 'angin' in oak tree."

Joab sed, " Well why day yer kill 'im? Ah'd 'a' gid yer ten shekels o' silver un a gairdle."

The bloke sed, " Ah cor 'elp worrevver yo' mite 'a' gid me. Ah cudn't kill the king's son cuz 'e tode we not t' 'airt 'im."

Joab sed, " Blow yer." 'E went un got thray darts un went to weer Absalom wuz still 'angin' in the tree.

Joab chukked the darts intew Absalom's boddy un then ten blokes wot wuz Joab's sairvunts went un finished the job be killin' Absalom.

Joab blowed a trumpit ter stop the fiytin'. 'E day waant ennyboddy else ter be killed nairw Absalom wuz jed.

Thay chukked Absalom's boddy in a pit in the wood un purr a pile o' stoones on top.

All the blokes worr ud bin wi' Absalom rushed wum ter thayer tents.

Wen the battle wuz oover one o' the praysts sons wot wuz nairmed Ahimaaz went ter Joab un sed, " Let me goo ter the king in the sitty un tell 'im 'ow the Lord's punished 'iz ennamiz."

Joab wudn't lerr 'im goo un tode anuther bloke nairmed Cushi ter goo un tell the king.

Ahimaaz begged o' Joab ted lerr im run after Cushi.

Joab cudn't understond why Ahimaaz wuz ser kayn ter goo.

Ahimaaz kep' on askin' Joab un in th' end Joab tode 'im ter goo.

Ahimaaz went a diffrunt rode ter wot Cushi did un got near the sitty afower 'im.

David wuz sittin' be the sitty gairt wairtin' fer nooz o' the battle.

A waatchmon ud gon ter the top o' the wall ter waatch if ennyboddy wuz acummin'.

Wen 'e sid a bloke by 'izself runnin' terwards the sitty 'e shahtid un tode the king.

The king sed, " If 'e'z alloon 'e'z bringin' we waird frum th' armee."

Wile the mon wuz gerrin' nayerer the waatchmon sid anuther bloke runnin' terwards the sitty by 'izself.

The king sed, " 'e'z acummin' ter bring we sum nooz un all."

The waatchmon sed, "The fust bloke luks like Ahimaaz the praysts son."
The king ansud, "Well, 'e'z a gud mon un 'e'l be bringin' we sum gud nooz."
Ahimaaz got ter David un sed, "Evvrythin's orright."
'E bahed wi' 'iz fairse ter th' airth afower the king un sed, "Blessid be the Lord. 'E'z gid we the victree oover them wot fort the king."
The king sed, "Is Absalom sairf?"
Ahimaaz sed, "Wen Joab sent me summat fishy wuz gooin' on burr ah day know worr it woz."
Cushi arrived un sed ter the king, "Ah'n got nooz fer yo' yower majestee. The Lord's punished all them wot rebelled aggin yer."
The king asked if Absalom wuz sairf un Cushi sed, "Lerr all the king's ennamiz un all them wot dew ayvil tew 'im be uz that yung mon yow'm on abaht."
David then rayulized uz Absalom wuz jed.
'E wuz in such a cunflopshun. 'E kep' blartin' un sayin', "Me son, me son Absalom. Ah wish God ud a let me die insted o' yo'. Ooh Absalom me son, me son."
Joab got t' 'ear 'ow David wuz mournin' fer Absalom.
The peeple 'eerd un all. Thay day waant ter goo ennyweer nayer David wile 'e wuz grayvin' ser much fer 'iz son wot thay'd killed.
Thay all crep' rahnd the sitty anuther way soo uz noboddy ud see um.
The king kep' on blartin'. 'E cuvvud 'iz fairce up un kep' on bawlin' in a lahd viyce, "Ooo me son Absalom. Ooo Absalom me son, me son!"
Joab got fed up wi' the way David wuz a carryin' on so 'e went ter David's 'owse un sez tew 'im, "Yo' mek me bad yo' dun.
"We'en all fort fer yer un sairved yer life. We'en sairved yer wives un all yer uther kids—dun yer luv yer ennamiz mower thun them?
"If Absalom wuz still sairf all we lot ud 'a' bin killed un ah reck'n that ud 'a' playsed yer.
"Cor yer cum un say a waird o' thanks ter yer sairvunts? If yo dow thay'll all tek off un layve yer aloon un thur wo' be a mon lef' wi' yer ternite un that'll be wuss thun enny-

thin' wots 'app'nd tew yer afower."

David gorr up un went un sat ut the sitty gairt un all the peeple went tew 'im theer.

The peeple wot wuz in Jerusalem sent waird ter David sayin, "Come back ter we an' all them wot um wi' yer."

David lef' the sitty o' Mahanaim un startid ter goo back ter Jerusalem.

Shimei the bloke wot cussed un chucked stoones ut David wen 'e wuz tekkin' 'iz uk frum Absalom 'eerd 'ow 'e'd gairned the victree un wuz on 'iz way ter Jerusalem.

Shimei wuz frit cuz o' worr 'e'd dun soo 'e went aht ter mayt the king.

Wen 'e sid David 'e fell dahn afower 'im un sed, "Playse ferget abaht me bein' ser wickid. Ah know ah'n sinned. Wull yer fergi' me?"

Abishai, David's neffew uz waantid ter chop Shimei's yed off sed ter David, "Wot'n we gorra dew? 'Az 'e gorra be put ter jeth?"

David sed that none uv 'iz ennamiz ud gorra be put ter jeth that day cuz this wuz the day 'e wuz rewler oover all the peeple aggen.

David sed ter Shimei, "Dow wurry. Thee bisn't gunna die."

David wuz gerrin' terwards Jerusalem wen Barzillai the bloke wot ud gid 'im whayte, barley un flower went ter mayte 'im.

David rimembud 'ow kind Barzillai ud bin un sed tew 'im, "Cum un live wi' me in Jerusalem un ah'l luk after yer."

Barzillai explairned uz 'e wuz ode mon un 'adn't gorr all that lung ter live. 'E sed 'e wudn't enjiy livin' in Jerusalem ut the king's 'owse seein' all the posh things wot wuz theer. 'E'd rather goo back wum t' end 'iz days un be berrid by 'iz muther un fairther.

Barzillai asked David if 'iz son cud goo insted uv 'im un David sed 'e'd be playsed t' 'ave 'im.

The king kissed Barzillai un blessed 'im un lerr 'im goo back wum.

David got back ter Jerusalem un wuz king like 'e woz afower un all the peeple abbayed 'im.

The childrun uv Israel startid sinnin' aggen un the Lord

wor very playsed wi' um.

'E wor verry playsed wi' David niyther cuz David ud tode Joab ter goo aht amung the peeple un find aht 'ow menny blokes thur woz wot cud gutter war.

We bay tode why God wor verry playzed burr it wuz probably cuz David wuz prahd t' 'oon a big armee ter kayp 'iz kingdom sairf insted o' trustin' in the Lord.

Wen 'e asked Joab ter number the men Joab knowed it ud affend God un 'e day waant ter dew it, but David tode 'im 'e'd gorra dew it soo 'e went un did uz 'e wuz tode.

It tuk Joab un them wot wuz wi' 'im nine munths un twenty days ter number the peeple.

Thay went back ter tell David thurr in the tribes uv Judah thur wuz five 'undrud thahz'n brairve blokes wot cud fiyte wi' a sord un in th' uther tribes thur wuz eight 'undrud thahz'n.

After thay'd tode David 'e felt ashairmed uv 'izself un sed ter the Lord, "Ah've sinned be dewin' this. Wull yer playse fergi' me?"

God chose ter punish David un the peeple un mek um rimember 'ow thay'd dissabbayed 'im un mek um frit ter dew it aggen.

Wen David gorr up nex' mornin' the Lord sent the proffit Gad t' ask 'im which punishmint 'e'd chewze.

'E'd gorra chewze aht o' sevvun 'ear o' fammin in the land, or 'iz ennamiz cummin' ter fiyte 'im fer thray munths un winnin' the battle or a pestilunse amung the peeple fer thray days.

David sed, "Ah bin in a schew burr ah'd rather 'a' the Lord punishin' we 'izself thun sendin' we ennamiz ter dew it."

David ment 'e'd chewse the thray days pestilunse.

The Lord sent airnjul wot bort a grairt pestilunse amung the childrun uv Israel un in thray days sevvunty thahz'n blokes ud died.

Jerusalem wuz bilt on thray little mahntins un one on um wuz called Mount Moriah.

On top o' this mahntin wuz a threshin' flewer billungin' a bloke nairmed Araunah.

Th' airnjul wot the Lord sent stud oover the threshin'-flewer un David sid it astondin' theer bitween 'airth un the ski wi' a drawed sord in its 'ond stretched aht oover Jeru-